Erfolg durch Lernen lernen – individuell-optimal

Arbeitsbuch zur Lernkompetenz

Dieses Buch ist Arbeits-Exemplar und persönliches Eigentum von:

Matthias Beuth / Volker Hahl

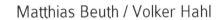

Erfolg durch Lernen lernen – individuell-optimal
Arbeitsbuch zur Lernkompetenz

Illustrationen von Andreas Bischoff

Beuth, Matthias / Hahl, Volker
Erfolg durch Lernen lernen – individuell-optimal.
Arbeitsbuch zur Lernkompetenz.
Band 3 der Schriftenreihe
der Bildungs- und Chancenstiftung *STUFEN zum ERFOLG*, 2016

Herausgeber
Prof. Dr. Hardy Wagner

Herstellung und Verlag
BoD - Books on Demand, Norderstedt
in Zusammenarbeit mit dem STUFEN-Verlag
der Bildungs- und Chancen-Stiftung *STUFEN zum ERFOLG*

Illustrationen, Satz und Layout
Andreas Bischoff

ISBN 978-3-7392-6796-8

Bibliografische Information der Deutschen Nationalbibliothek
Die Deutsche Nationalbibliothek verzeichnet diese Publikation in der Deutschen Nationalbibliografie; detaillierte bibliografische Daten sind im Internet über www.dnb.de abrufbar.

Pause

Medien

Inhaltsübersicht

Geleitwort des Herausgebers

Mit der vorliegenden Publikation, Teilnehmer-Unterlage zum STUFEN-Erfolgs-Baustein L, *„Erfolg durch Lernen lernen – individuell-optimal"*, präsentiert die Bildungs- und Chancen-Stiftung *STUFEN zum ERFOLG* den dritten Band der STUFEN-Schriftenreihe, der zugleich unseren STUFEN-Band 1, *„Erfolg durch Persönlichkeit / Grundlagen wertschätzender Kommunikation"*, im Hinblick auf das wichtige STUFEN-Thema *Lernen* vertieft und erweitert: *Lernen ist Leben!*

Zielgruppe des neuen Bandes sind Lernende: Schüler, Studenten, Auszubildende sowie – im Hinblick auf die Notwendigkeit lebenslangen Lernens – auch Berufstätige, die – etwa in Zusammenhang mit dem STUFEN-Ausbilder-Konzept (SAK) – mit dem bewährten STUFEN-Erfolgs-Konzept in Kontakt kommen.

Die Curricula der Schulen und Hochschulen lassen erkennen, warum vielen Studien-Anfängern wesentliche Grundlagen fehlen, die eigentlich bereits vorab – insbesondere in der gymnasialen Oberstufe – hätten vermittelt werden sollen. Hier Hilfe zu bieten, ist Aufgabe und Ziel dieser Publikation, zugleich ein Postulat, diese „grund-legenden" Schlüssel-Kompetenzen als Inhalte in den Fächer-Kanon des sekundären Schulbereichs zu integrieren. Soweit dies (noch) nicht geschehen ist, können – und sollten – Hochschulen durch Sonderveranstaltungen mit STUFEN-Inhalten diese Lücke schließen, wie es derzeit – unseres Wissens erstmals in Deutschland – an der Hochschule Worms im Rahmen einer Pflichtveranstaltung mit 4 SWS erfolgt.

Die aufgrund der festgestellten Defizite im Hinblick auf "grundlegende" Schlüssel-Kompetenzen notwendige Ausrichtung des Erfolgs-Konzepts auf Lerner an unterschiedlichen Bildungs-Einrichtungen – Haupt- und Realschulen, Gymnasien, Hochschulen, Weiterbildungs-Einrichtungen – führte zur Gründung der Bildungs- und Chancen-Stiftung *STUFEN zum ERFOLG*.

Sehr früh haben wir entschieden, uns im STUFEN-Konzept zum Thema Lernen nicht auf die auch heute noch vielfach verwendeten „sinnlichen" Eingangs-Kanäle *Visuell / Auditiv / Kinästhetisch* (VAK) zu beziehen, sondern in anlehnender Weiterführung auf den Erkenntnissen von *Piaget*, *Kolb* und Kollegen aufzubauen. Vor allem nutzen wir in den Verhaltens-Typen von *William Moulton Marston* ein pragmatisches und EffEff einsetzbares Konzept – zugleich die Brücke zum Erfolgs-Baustein P. Insoweit zeichnet sich das Werk nunmehr vor allem aus durch durchgängige fundierte Verweise auf die unterschiedlichen Lerntypen, und zwar unter Bezugnahme auf die in Band 1 präsentierten Verhaltens-Typen aufgrund individueller Persönlichkeits-Strukturen. Jedes Modul schließt mit einem Rückblick durch die "Typen-Brille".

Im Rahmen der Buchbearbeitung wurde Wert darauf gelegt, die für alle Erfolgs-Bausteine relevante Thematik *Motivation* zu vertiefen. So wurde der bisherige Text durch einen ausführlichen Exkurs zur *Motivation* erweitert, der zugleich das Modul *Lernpsychologie* ergänzt.

Vorstand der STUFEN-Stiftung und Herausgeber der STUFEN-Schriftenreihe bedanken sich bei den Autoren, *Matthias Beuth* und *Volker Hahl*, und den Beteiligten an den wesentlichen Vorarbeiten zu dieser Publikation, insbesondere *Sabine Kalina und Monika Kunz* sowie aktuell bei *Andreas Bischoff*, der für einheitliche Cartoons und für das Layout des gesamten Buches verantwortlich zeichnet.

Auf bewährter Grundlage bieten wir mit diesem Band eine wichtige Leistung im Rahmen des gemeinnützigen STUFEN-Konzepts.

Wir wünschen dem vorliegenden neuen STUFEN-Band – zugleich Teilnehmer-Unterlage zum Erfolgs-Baustein L – eine der Bedeutung der Thematik entsprechende Aufnahme als EffEff Grundlage für optimalen Lern-Erfolg.

Prof. Dr. Hardy Wagner

Herausgeber / Kuratoriums-Vorsitzender

Anleitung statt Einleitung
Wie Sie sich mit diesem Buch besser kennenlernen werden!

Dieses Buch unterscheidet sich von der unübersehbaren Vielzahl der Ratgeber zum Thema „Lernen". Es unterscheidet sich, weil Sie sich auf Basis einer Selbsteinschätzung mit Ihrer individuellen Lern-Persönlichkeit beschäftigen werden. Es geht um Sie – als einzigartige Persönlichkeit mit individuellen Bedürfnissen, mit Stärken, Nicht-Stärken und auch Schwächen. Wir laden Sie ein, sich die Thematik Lernen durch die „Brille" Ihrer Persönlichkeitsmerkmale anzuschauen. Denn es unterscheidet sich von Mensch zu Mensch, von Lern-Persönlichkeit zu Lern-Persönlichkeit nicht nur das *WAS ich lernen will*, sondern auch das *WIE, das WARUM* und das *mit WEM ich lernen will*.

Wenn diese Fragen unberücksichtigt bleiben, dann ist es nicht verwunderlich, wenn die besten Ratschläge und Tipps nur wenig bewirken.

Um *effektiv* zu lernen - also die richtigen Informationen zu erfassen und zu verarbeiten - ist es vor allem wesentlich herauszufinden, was Sie persönlich antreibt, was Sie motiviert und bewegt. Deshalb beginnt dieses Buch auch mit den Themen „Lern-Persönlichkeit" und „Lern-Motivation".

Wenn Sie mehr über Ihre individuelle Lern-Persönlichkeit und Ihre Lern-Motivation herausgefunden haben, zeigen wir Ihnen einen ganzen Strauß bunter Methoden, Tipps und Tricks, aus dem Sie diejenigen auswählen können, die für Sie ganz persönlich die richtigen sind. Sie werden lernen, die Methoden *effektiv* und *effizient* einzusetzen: das Richtige richtig zu tun. Sie werden dann individuell-optimal effektiv und effizient lernen. Ob Ihnen die Methoden dabei einfach nur Spaß machen oder ob Sie sie als Mittel zum Zweck verstehen, das bleibt Ihnen als einzigartiger Lern-Persönlichkeit selbst überlassen.

Wenn Sie keine Ratschläge mehr haben wollen, die dem Motto folgen „passt nicht ganz auf alle", sondern genau die Tipps zusammenstellen möchten, die auf Sie passen, dann sollten Sie dieses Arbeitsbuch konsequent bearbeiten – denn so halten Sie am Ende Ihr persönliches Handbuch zum Lernen in Händen.

Wenn Sie sich für Ihre Ziele, ob beruflich oder privat, begeistern, wenn Sie Lust darauf haben, Neues kennenzulernen, dann ist dieses Lern- und Arbeitsbuch für Sie das Richtige.

In unserer modernen Gesellschaft nimmt die Notwendigkeit sich Wissen und Fertigkeiten anzueignen mit jedem Tag zu. Die Kombination von Wissen und Fertigkeiten bezeichnen wir als Kompetenz. Während noch vor hundert Jahren die einmal erworbenen Kompetenzen ein Leben lang genügten, müssen wir Menschen heute oft in kürzester Zeit immer neue Informationen und Handlungskonzepte erfassen und umsetzen. Lernen begleitet uns daher lebenslang und wir sollten den Prozess aktiv begreifen, um ihn effizienter und effektiver zu gestalten (Lebenslanges Lernen).

Wenn Sie also zu den Menschen gehören, die sich den Herausforderungen der Wissens- und der Kommunikationsgesellschaft stellen wollen, dann sollten Sie dieses Buch unbedingt lesen!

Wie Sie mit diesem Buch arbeiten können

Dieses Buch ist ein Lern- und Arbeitsbuch. Den optimalen Erfolg, erzielen Sie, wenn Sie Lern- und Arbeitsabschnitte im Zusammenhang bearbeiten.

Wenn es Ihnen mehr liegt, erst Übungen zu machen und dann Informationen zu sammeln, so sind Sie dazu herzlich eingeladen. Wenn ein bestimmtes Modul Ihre besondere Aufmerksamkeit weckt, dann beginnen Sie einfach dort.

Während der Bearbeitung entsteht Ihr einzigartiges Arbeitsprofil.
Die acht Haupt-Module des Buches bauen aufeinander auf und führen Sie Schritt für Schritt zu einem individuell-optimalen Lern- und Prüfungserfolg.

Selbsteinschätzung Ihrer Lern-Persönlichkeit

Bevor Sie mit der Selbsteinschätzung Ihrer Lern-Persönlichkeit beginnen, ist es wichtig, dass Sie sich überlegen, welche Ziele Sie beim Bearbeiten des Buches oder einzelner Abschnitte haben.

Warum lesen Sie dieses Buch überhaupt? Denken Sie zunächst in Ruhe darüber nach, welche Gründe Sie haben, um zu lernen.

Solche Gründe hängen nicht nur mit Schule, Studium und Beruf zusammen. Auch im privaten Bereich, z. B. bei Hobbys, lernen Sie immer wieder dazu.

meine Gründe zu lernen

Ü1: Wo sehen Sie für sich – jetzt oder in naher Zukunft - die wesentlichen Gründe zu lernen?

a) in Schule / Studium / Beruf ....

....

b) privat ....

....

....

Machen Sie sich nun klar, ob Sie bisher etwas daran gehindert hat, individuell-optimal zu lernen?

War es vielleicht mangelnde Motivation? Oder kennen Sie zu wenige Methoden, die das Lernen vereinfachen. Lassen Sie sich leicht ablenken? Haben Sie vielleicht Probleme mit Prüfungen oder Präsentationen? Geraten Sie leicht unter Prüfungsdruck?

was hindert mich?

Ü2: Was hindert Sie am meisten daran, effektiv und effizient zu lernen?

....

....

....

Messen Sie Ihren Lernfortschritt. Überlegen Sie jetzt, wie Sie Ihr bisheriges Wissen und Können zum Thema „Lernen lernen" einschätzen.

*mein
Standort*

Ü3: Markieren Sie nun in der Grafik, wie Sie ihr Wissen und Können (in Sachen Lernstrategien) zum jetzigen Zeitpunkt einschätzen. Setzen Sie jetzt ein Kreuzchen!

Ihren Standort können Sie während der Lektüre mehrmals bestimmen. Die letzte Markierung nehmen Sie vor, wenn Sie das Buch vollständig bearbeitet haben.

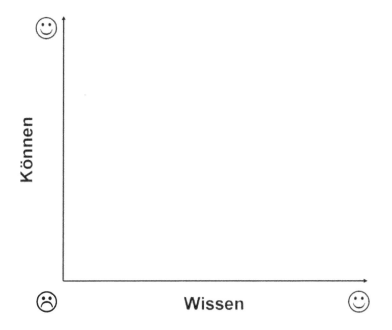

Nachdem Sie nun Ihren Standort definiert haben, lohnt es sich, darüber nachzudenken, was Sie beim Arbeiten mit diesem Buch erreichen möchten. Denn:

> Wenn du nicht weißt, wohin du willst,
> dann ist es auch egal,
> wie du weitergehst.
> (Lewis Carrol – Alice im Wunderland)

meine Ziele

Ü4: Welche Ziele haben Sie bei der Arbeit mit diesem Buch? Notieren sie 3-5 Ziele stichwortartig?

....

....

....

Formulieren Sie nun ihr wichtigstes Ziel möglichst genau!

....

....

....

Im nächsten Schritt lernen Sie mit der Kurz-Analyse Ihre individuelle Lern-Persönlichkeit kennen!

Jede Reise beginnt mit dem ersten Schritt.

(Laozi)

Die Kurz-Analyse –
die Grundlage Ihres individuellen Weges zum Lernerfolg

Ihr erster Schritt führt Sie zu einem besseren Verständnis Ihrer eigenen Lern-Persönlichkeit. Die Erkenntnisse, die Sie aus diesem ersten Schritt – der Kurz-Analyse – ziehen werden, bilden die entscheidende Grundlage für Ihren individuellen Umgang mit dem Thema Lernen.

In allen Modulen des Buches werden wir Sie am Ende auffordern, das Gelesene und Geübte durch diese „Brille" Ihrer Lern-Persönlichkeit zu betrachten. Unser „Lerntypen-Männchen" wird Sie entsprechend darauf hinweisen:

Die vier Farben des „Lerntypen-Männchens" weisen auf bestimmte Eigenschaftsbündel hin, die den verschiedenen Lerntypen zugeordnet werden. Was diese Farben und Lerntypen mit Ihnen zu tun haben und wie sie Ihnen beim Lernen helfen können, erfahren Sie auf den nächsten Seiten.

Mithilfe der Erkenntnisse aus der Kurz-Analyse werden Sie in der Lage sein, aus der Vielzahl der Inhalte dieses Buches diejenigen herauszufiltern, die Ihnen tatsächlich helfen können, effektiver und effizienter zu lernen. Übrigens können Sie Ihre Erkenntnisse selbstverständlich auch auf alle anderen Fachbücher zum Lernen anwenden.

Sie haben bereits den Stufenband *Erfolg durch Persönlichkeit* gelesen? Oder Sie kennen unser Persönlichkeitsmodell aus einem unserer Seminare? Glückwunsch: Sie können im Folgenden Ihr Wissen anwenden und mit dem Thema Lernen verknüpfen. Für dieses Buch nutzen wir eine kurze Selbstanalyse, deren Ergebnis sich auf Ihre Lern-Persönlichkeit konzentriert.

> *„Man hat die Lehre von den Temperamenten:*
> *Jeder Mensch trägt alle vier in sich,*
> *nur in verschiedenen Mischungsverhältnissen."*
> *(Goethe, 1821)*

Auch Goethe beschäftigten die unterschiedlichen Aspekte der Persönlichkeit, die bereits im alten Griechenland postuliert wurden: Choleriker, Sanguiniker, Phlegmatiker, Melancholiker. Diese altertümlichen Begriffe sind mit Urteilen und Vorurteilen belastet, sodass man sie heute kaum noch verwendet.
Moderne Verfahren der Persönlichkeits-Struktur-Analyse sind Instrumente der Selbsteinschätzung auf der Basis empirisch belegbarer Eigenschafts-Bündel. Das bedeutet, dass menschliche Eigenschaften in Gruppen zusammengefasst werden können, da sie zueinander gehören, während andere sich regelrecht ausschließen.

In unserem Modell der Persönlichkeit unterscheiden wir vier Eigenschafts-Bündel, die durch zwei polare Beziehungen darstellbar sind:

▷ Extroversion (E) und Introversion (I) sowie

▷ Aufgaben-Orientierung (AO) und Beziehungs-Orientierung (BO)

Das Schema verdeutlicht die Eigenschaftsbündel und ihre Zuordnung:

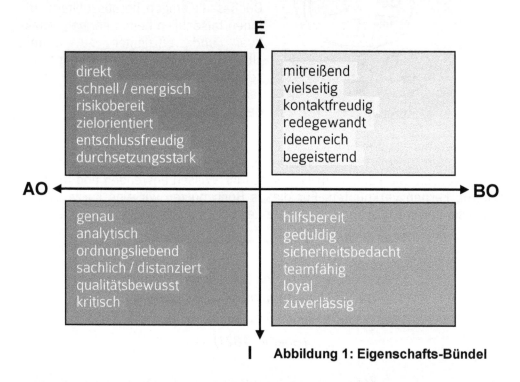

Abbildung 1: Eigenschafts-Bündel

*meine
Präferenzen*

Ü5: Versetzen Sie sich in Ihre Rolle als Lernender (z. B. als Schüler oder Student). Erleben Sie sich selbst eher als:

▷ extrovertiert (E) oder ▷ introvertiert (I)?

▷ aufgabenorientiert (AO) oder ▷ beziehungsorientiert (BO)?

Markieren Sie in Abb. 1 das am ehesten Zutreffende: also „E" oder „I" sowie „AO" oder „BO"?

Wenn es Ihnen schwer fällt, sich zu entscheiden, helfen Ihnen vielleicht die folgenden Aussagen:

▷ Extrovertierte Menschen gehen spontan und offen auf andere zu.

▷ Introvertierte Menschen sind zunächst zurückhaltend und verhalten sich eher abwartend.

▷ Aufgabenorientierte Menschen versuchen z. B. bei einem Streit zunächst die Sache zu klären.

▷ Beziehungsorientierte Menschen versuchen bei einem Streit zunächst die Beziehung zu klären.

Ist Ihnen die Entscheidung leicht gefallen? Oder haben Sie lange überlegt und waren unsicher, wie Sie sich selbst einschätzen sollen?
In unserer vereinfachten Übung zeigt sich vielleicht, dass Sie in Ihrer Rolle (als Lernender) einen bestimmten Quadranten (innerhalb der Abb. 1) bevorzugt haben. Sie selbst ordnen sich einer bestimmten Farbgruppe zu. In anderen Rollen und Zusammenhängen ist es durchaus möglich, dass Sie sich selbst anders erleben.

In der täglichen Realität gibt es keine Menschen, die sich nur einer (Farb-) Gruppe zuordnen lassen. Das Ergebnis unserer Kurz-Analyse ist ein Modell der Persönlichkeit, also eine vereinfachte Darstellung.

Wie schon Goethe erkannt hatte, haben wir Eigenschaften aus allen vier Bereichen: Die Mischung macht uns einzigartig. Die meisten Menschen zeigen zwei Präferenzen (also starke Ausprägungen) in diesem Persönlichkeitsmodell, wenige zeigen nur eine oder drei Präferenzen, sehr wenige zeigen gar keine Präferenz.

Die obige Abbildung zeigt Ihnen einen Ausschnitt der Eigenschaften, die im Modell zu Eigenschafts-Bündeln zusammengefasst wurden.

Ü6: Welche Eigenschaften aus Abb. 1 treffen auf Sie zu? Welche Eigenschaften haben Sie eher nicht?

Markieren Sie die Eigenschaften, die auf Sie zutreffen und streichen Sie diejenigen, die Sie eher nicht besitzen.

so nehme ich mich wahr

In Seminaren zum Thema Persönlichkeit (z. B. aus der STUFEN-Reihe) können Sie dieses einfache Modell intensiver kennen- und anwenden lernen.

Die Erkenntnisse lassen sich auf Kommunikation ebenso anwenden wie auf den Umgang mit der Zeit oder das Konfliktmanagement und viele andere Bereiche.

Ihr individueller Persönlichkeitstyp beeinflusst u. a. Ihre Lern-Motivation, Ihre bevorzugten Lernmethoden, Ihre Art zu präsentieren oder die Art und Weise, wie Sie sich in einer Prüfung verhalten. Wir sprechen daher im Zusammenhang mit „Lernen" von Ihrer individuellen „Lern-Persönlichkeit".

Mithilfe der folgenden Übung können Sie Ihre „Lern-Persönlichkeit" differenzierter kennenlernen.

meine Lern-persönlichkeit

Ü7: Bewerten Sie die Aussagen A-D in den 10 Aussageblöcken jeweils mit Punkten von 1-4. Folgen Sie der Anleitung:

1. Die Aussage, die am wenigsten zutrifft, erhält 1 Punkt.

2. Die Aussage, die am stärksten zutrifft, erhält 4 Punkte.

3. Dann entscheiden Sie, welche der beiden übrigen Aussagen stärker auf Sie zutrifft; Sie vergeben 3 Punkte.

4. Die letzte Aussage erhält 2 Punkte.

		Typus	1-4
1	A	Ich mag eher schnelle Ergebnisse!	
	B	Ich mag eher Routine!	
	C	Ich bringe gerne neue Ideen hervor!	
	D	Ich nehme mir gerne Zeit, etwas zu Ende zu bringen!	
2	A	Ich mag eher klare Vorgaben!	
	B	Ich probiere gerne etwas aus!	
	C	Ich tue, was ich für richtig halte!	
	D	Ich mag eher schriftliche Arbeitsaufträge!	
3	A	Ich mag eher Details und Fakten!	
	B	Ich mag Überblick mehr als Details!	
	C	Ich langweile mich eher schnell!	
	D	Ich mag eher Ordnung und Struktur!	

4	A	Ich gewinne gerne!	
	B	Ich mag eher Aufmerksamkeit!	
	C	Ich denke gerne alleine nach!	
	D	Ich sage erst etwas, wenn ich sicher bin!	
5	A	Ich behandle meine Arbeitsmaterialien eher sorgfältig!	
	B	Ich mag es eher, wenn ich mich frei bewegen kann!	
	C	Ich mag eher Gruppenarbeit!	
	D	Ich mag eher keine Unterbrechungen!	
6	A	Ich mag eher gemeinsame Regeln!	
	B	Ich erkläre eher gerne aus dem Gedächtnis!	
	C	Ich übernehme gerne Verantwortung!	
	D	Ich antworte gerne ausführlich!	
7	A	Ich mag eher Herausforderungen und Geltung!	
	B	Ich mag eher Anerkennung für meine Arbeit u. Komplimente!	
	C	Ich mag eher Anerkennung in der Gruppe!	
	D	Ich fühle mich gerne „behütet"!	
8	A	Ich mag eher geordnete und bewährte Abläufe!	
	B	Ich berate andere gern!	
	C	Ich erziele gerne besondere Lernerfolge!	
	D	Ich folge gerne festgelegten Arbeitsweisen!	
9	A	Ich unterbreite gerne Vorschläge!	
	B	Ich schätze eher direkte Antworten und wenig Diskussionen!	
	C	Ich schätze eher Harmonie in der Gruppe!	
	D	Ich mag eher Bestätigung für gute Arbeit!	
10	A	Ich möchte eher auf Veränderungen vorbereitet werden!	
	B	Ich möchte eher Ordnung herstellen!	
	C	Ich brauche eher ausreichend Freiräume!	
	D	Ich werde eher nicht gerne kontrolliert!	

Auswertung: Übertragen Sie die Punkte aus den 10 Frage-
blöcken in die folgende Tabelle.

Rot		Gelb		Blau		Grün	
1A		1C		1D		1B	
2C		2B		2D		2A	
3C		3B		3A		3D	
4A		4B		4C		4D	
5B		5C		5D		5A	
6C		6D		6B		6A	
7A		7C		7D		7B	
8C		8B		8D		8A	
9B		9A		9D		9C	
10C		10D		10B		10A	
Summe:		Summe:		Summe:		Summe:	

gleich fertig:
mein Ergebnis

Überprüfen Sie die Gesamtsumme der 4 Bereiche. Diese muss
100 betragen. Übertragen Sie Ihre Ergebnisse dann in das
Diagramm, das Sie auf der nächsten Seite sehen. Verbinden Sie
Ihre Markierungen mit Linien, sodass ein – in der Regel keinesfalls quadratisches – Viereck entsteht.

Das Diagramm auf der folgenden Seite gibt Ihnen einen Anhaltspunkt, wie
Sie sich selbst (!) als „Lern-Persönlichkeit" einschätzen.

In jedem Quadranten verbergen sich die Stärken der jeweiligen Persönlichkeiten. So sind die „Roten" ziel- und sachorientiert, die „Gelben" sind begeis-
terungsfähig und arbeiten gerne in Gruppen, die „Grünen" sind teamfähig
und helfen anderen gerne beim Lernen, die „Blauen" sind genau und
kritisch.

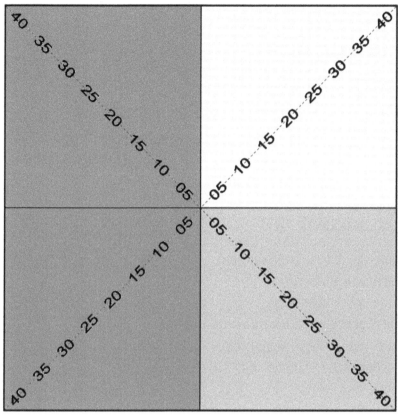

Abbildung 2: Ergebnis Selbstanalyse

Als einzigartige „Lern-Persönlichkeit" treffen nicht nur Eigenschaften *eines oder zweier* Quadranten auf Sie zu. Deshalb ist es so interessant herauszufinden, welche Tipps und Methoden genau zu Ihrer Persönlichkeit passen. Diese Kompetenzen sind Ihre Stärken. Vielleicht gibt es auch Quadranten, in denen Sie sich gar nicht wohlfühlen; diese Bereiche sind Ihre Nicht-Stärken.

Kurzer Exkurs zu „Nicht-Stärken": Im STUFEN-Konzept sind „Nicht-Stärken" schwach bzw. eben „wenig stark" ausgebildete Eigenschaften und Fähigkeiten, deren Aktivierung oft Mühe bereitet. Sie unterscheiden sich deutlich von „Schwächen", die sich aus der Übertreibung von Stärken ergeben. Schwächen sind veränderbar! Sie können und sollten (!) ihre Schwächen abbauen oder zumindest in ihrer Intensität reduzieren.

In der folgenden Aufstellung können Sie das auf Sie Zutreffende markieren.

Wesentliche Eigenschaften der vier Lern-Persönlichkeitstypen:

„Rote" Persönlichkeit (Persönlichkeit mit hohem ROT-Anteil)

Grundbedürfnis:	Unabhängigkeit
Grundangst:	bezwungen werden, verlieren
Tempo:	schnell
Ziel:	das Umfeld formen: Widerstände überwinden
Hauptmotiv:	Herausforderung, aktiver Einsatz, Zielorientierung

Leitspruch: „Just do it."

▷ Kontrolle über sich und andere
▷ Macht und Autorität
▷ großer Wirkungskreis
▷ neue Chancen und Herausforderungen
▷ Ergebnisse zählen, nicht Methoden
▷ Prestige und Aufstiegsmöglichkeiten

„Gelbe" Persönlichkeit (Persönlichkeit mit hohem GELB-Anteil)

Grundbedürfnis:	Anerkennung
Grundangst:	keine Anerkennung bzw. Beachtung zu finden
Tempo:	schnell
Ziel:	das Umfeld begeistern, Einfluss nehmen
Hauptmotiv:	persönlicher Einsatz, positives Umfeld, Teamwork

Leitspruch: „Zusammen sind wir stark."

▷ Anerkennung und positive Unterstützung
▷ neuere und bessere Möglichkeiten
▷ Ausdrucksfreiheit
▷ Unterrichten und Geben von Anregungen

▷ Verbindungen zu Höhergestellten, netzwerken
▷ Möglichkeit, Talente und Fähigkeiten zu zeigen

„Grüne" Persönlichkeit (Persönlichkeit mit hohem GRÜN-Anteil)

Grundbedürfnis:	Sicherheit und Harmonie
Grundangst:	allein gelassen zu werden
Tempo:	langsam
Ziel:	persönliche Beziehungen pflegen
Hauptmotiv:	Stabilität, Zusammenarbeit, Unterstützung, Wertschätzung

Leitspruch: „Es soll alles so bleiben, wie es ist."

▷ Konstruktive Zusammenarbeit
▷ Andere unterstützen
▷ Klare Verantwortungs- und Autoritätsbereiche
▷ Persönliche Wertschätzung
▷ Identifikation mit dem Team / der Gruppe
▷ Lob für erfolgreich abgeschlossene Aufgaben
▷ langfristige Sicherheit
▷ harmonisches Umfeld

„Blaue" Persönlichkeit (= Persönlichkeit mit hohem BLAU-Anteil)

Grundbedürfnis:	Dinge richtig machen
Grundangst:	kritisiert zu werden, etwas falsch machen
Tempo:	langsam
Ziel:	hohe Maßstäbe und Präzision
Hauptmotiv:	optimale Qualität, Fakten, Objektivität, Bestätigung

Leitspruch: *„Jeden Tag ein Stückchen besser."*

▷ Interesse, der Ursache eines Problems auf den Grund zu gehen

▷ Aufgaben, Ziele zu formulieren

▷ Sachverständigenrolle bei langfristiger Planung

▷ Bestätigung bzw. Versicherung

▷ Möglichkeit, Ordnung (wieder)herzustellen

▷ geschütztes Umfeld

▷ Lösungen für schwierige Aufträge

Im weiteren Verlauf wird dieses Buch Ihnen nun helfen, Kompetenzen zu entwickeln, die zu Ihren Stärken passen.

Und da Sie somit bewusster wählen können, welche Methoden und Techniken zu Ihnen – zu Ihrer Lern-Persönlichkeit – passen und deshalb auch Spaß machen, wird es Ihnen leichter fallen „dazuzulernen".

Hier lohnt es sich nun, Zeit zu investieren.

Es kann darüber hinaus auch sein, dass Sie Kompetenzen erwerben möchten, die im Bereich Ihrer Nicht-Stärken liegen.

Meist ist der Antrieb für diesen Wunsch der, eine Begrenzung aufheben zu wollen: Obwohl eine Lernmethode Ihnen vielleicht nur wenig liegt, erkennen oder spüren Sie, dass sie Ihnen helfen kann, Hindernisse auf dem Weg zu Ihren individuellen Zielen zu beseitigen. Mit einer solchen Lern-Motivation werden Sie eher bereit sein auch Dinge zu tun, die Sie weniger mögen.

Ein erster spannender Schritt für die Entwicklung der individuellen Lernkompetenz ist das Erkennen der eigenen Lern-Persönlichkeit. Diesen ersten und entscheidenden Schritt haben Sie erfolgreich getan. Herzlichen Glückwunsch!

Modul 1: Bedeutung und Steigerung von Lern-Motivation

Wenn du ein Schiff bauen willst, so trommle nicht Männer zusammen,
um Holz zu beschaffen, Werkzeuge vorzubereiten,
die Arbeit einzuteilen und Aufgaben zu vergeben, sondern wecke
in ihnen die Sehnsucht nach dem großen, weiten Meer.
(Antoine de Saint-Exupéry)

Im ersten Modul des Buches werden Sie erfahren, welche entscheidende Bedeutung unsere Ziele für unsere Motivation und damit letztlich für unseren persönlichen Erfolg haben. Im besten Falle leitet uns eine Vision - ein übergeordnetes Ziel wie das der „Sehnsucht nach dem großen, weiten Meer".

In allen Lebensbereichen sind Ziele entscheidende „Verursacher" unserer Motivation. Das Erreichen unserer Ziele wiederum hängt sehr von der Art der Ziele und auch von ihrer Formulierung ab!

Der Einfluss, den wir selbst auf unsere Motivation (auch auf unsere Lern-Motivation) haben, ist sehr hoch!

Damit Sie diesen Einfluss möglichst gewinnbringend nutzen können, regen wir Sie auf den folgenden Seiten dazu an, sich mit Ihren persönlichen Bedürfnissen und Motiven vertrauter zu machen. Vier Lern-Motivationshilfen runden das Modul ab und dienen Ihnen als konkrete Anleitung.

da war ich motiviert!

Ü8: Erinnern Sie sich an eine Situation, in der Sie besonders motiviert waren. Skizzieren Sie sie kurz. Wie hat sich „das" angefühlt? Was hat Sie angetrieben?

....

....

....

Wäre es nicht schön und erstrebenswert, solche Momente oft zu erleben?

Und wichtiger: Wie können Sie das erreichen?

1.1 Motivation ist ...

Motivation leitet sich vom lateinischen Verb *movere* (etwas bewegen) ab. Ein Motiv ist dementsprechend ein „Beweger", der uns nach einem Ziel streben lässt. Die Gesamtheit unserer Beweggründe (Motive) nennt man Motivation. Beweggründe können uns von innen heraus steuern oder von außen kommen.

Die inneren Beweggründe sind unsere Bedürfnisse, die uns als innerer Motor meist unbewusst antreiben und steuern. Wir verfolgen also – meist unbewusst – innere Ziele, die wir in der Regel weder spontan noch exakt benennen können.

Der Fachbegriff hierfür lautet *intrinsische Motivation*.

Äußere Beweggründe, die sogenannten Anreize wecken unser Interesse und treiben uns bewusst von außen an, etwas zu tun. Ziele, die wir aufgrund von Anreizen bewusst verfolgen, sind uns in der Regel bewusst.

Man spricht hier von *extrinsischer Motivation*.

28

1.1.1 Lern-Motivation durch Befriedigung unserer Bedürfnisse

Ü9: Schätzen Sie ein, was Sie antreibt.
Kreuzen sie an: unwichtig = 1; sehr wichtig = 5

das motiviert mich!

Ich bin motiviert, ...	1	2	3	4	5	Rang*
...wenn ich etwas herausfinden / etwas selbst erforschen will. (Neugierde)						
...wenn ich etwas eigenständig meistern bzw. lösen kann. (Selbstständigkeit)						
...wenn ich selbst entscheiden darf, was ich tun werde. (Autonomie)						
...wenn ich merke, dass ich etwas gut kann. (Kompetenz)						
...wenn ich glaube, dass ich etwas bewegen bzw. erreichen kann. (Wirksamkeit)						
...wenn ich weiß, dass ich eingebunden bin in etwas. (Verbundenheit)						
...wenn ich fühle, dass ich erfolgreich Gutes tue. (Selbstwertgefühl)						
...wenn ich tun darf, was ich gerne mache. (Selbst-Verwirklichung)						

* Diese letzte Spalte bitte erst bei Übung 11 ausfüllen.

Psychologen und Neurobiologen beantworten die Frage nach unseren Beweggründen (Motiven) oft zunächst unter Hinweis auf die psychologischen Grundbedürfnisse, die uns alle – in verschiedener und wechselnder Ausprägung – von innen heraus zum Handeln antreiben. Wie wichtig Ihnen die einzelnen Grundbedürfnisse im Moment erscheinen, erkennen Sie mit dem Blick auf Ihre Kreuzchen.

Der Wunsch zur Befriedigung dieser Grundbedürfnisse entspricht - wie oben definiert - der intrinsischen Motivation. Sie ist unser innerer Motor, sie steuert unser Handeln und unsere Entscheidungen oft unbewusst. Die *intrinsische Motivation* kann bis zum so genannten Flow-Erlebnis führen.

Wir erleben unser Handeln dann als äußerst befriedigend, manchmal sogar berauschend (vgl. Modul 3). Wir sind intrinsisch motiviert, wenn wir etwas ohne erkennbaren Grund tun, wenn das Handeln selbst die Befriedigung bringt. Bei Kleinkindern kann man das beobachten, wenn sie zum Beispiel stundenlang versuchen einen Schuh zu binden. Sie wollen das selbst schaffen, niemand muss sie dazu auffordern.

darauf hab ich Lust

Ü10: Welche Dinge tun Sie, wenn Sie mal nichts tun müssen – einfach nur, weil Sie gerade Lust darauf haben?

....

....

....

Unsere Bedürfnisse sind nicht alle gleich wichtig. Das konnten Sie bei der Bearbeitung von Übung 9 feststellen. Nummerieren Sie als nächstes Ihre Bedürfnisse der Wichtigkeit nach:

Ü11: Wie wichtig sind Ihnen welche Bedürfnisse?
Erstellen Sie eine Rangfolge (1–8) in der Aufstellung von Ü9

Der Psychologe ABRAHAM MASLOW hat sich mit menschlichen Bedürfnissen beschäftigt (vgl. Edelmann 2000, S. 256 f.).

Auch wenn seine Überlegungen niemals bewiesen (aber auch nicht widerlegt) wurden, bieten Sie für das Lernen doch einen grundlegenden Ansatz, da MASLOW die oben genannten psychologischen Bedürfnisse noch um fundamentale physiologische Bedürfnisse (wie z. B. Essen, Trinken, Schlafen) ergänzt und alle in eine Rangfolge bringt.

MASLOW entwickelte eine Pyramide nach Bedeutsamkeit der Bedürfnisse und damit eine Hierarchie von Motivationen. Auch wenn Menschen selbst in extremen Ausnahmesituationen immer noch nach Selbst-Achtung und Selbst-Verwirklichung streben, so ist doch zu erwarten, dass die Motivation zur Stillung primärer Bedürfnisse die höhere Priorität besitzt.

Ein Mensch, dessen physiologische Bedürfnisse nicht erfüllt sind, ist primär motiviert, diesen Sachverhalt zu ändern und stellt dafür zunächst die Befriedigung anderer Bedürfnisse zurück. Wer z. B. Hunger leidet, wird nach Nahrung suchen, kein – noch so interessantes – Buch lesen.

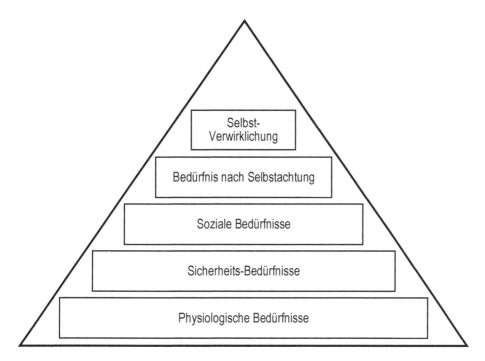

Abbildung 3: Bedürfnispyramide nach Maslow

Eine kurze Erläuterung konkretisiert MASLOWS Begriffe:

▷ *Selbst-Verwirklichung*: eigene Ziele verfolgen, Potenzial entfalten, kreativ sein. Zu diesem Bereich zählen auch die Bedürfnisse *Selbstständigkeit, Neugierde* und *Autonomie*.

▷ *Selbst-Achtung*: Sinn im eigenen Handeln erleben, Prestige, Status und Erfolgserlebnisse. Hierzu zählen auch die Bedürfnisse *Selbstwertgefühl, Kompetenz* und *Wirksamkeit*.

▷ *Soziale Bedürfnisse*: Freundschaften pflegen, Anerkennung erfahren. Das Bedürfnis der *Verbundenheit* findet sich in dieser Kategorie wieder.

▷ *Sicherheits-Bedürfnisse*: Geborgenheit, ein Zuhause haben.

▷ *Physiologische Bedürfnisse*: Essen, Trinken, Schlafen, Ruhe, Fitness, Gesundheit...

Wenn wir die Pyramide auf unsere Lern-Motivation hin betrachten, erkennen wir: Lernen ist das Werkzeug, mit dessen Hilfe wir Bedürfnisse nach sozialer Anerkennung, nach Selbst-Achtung, letztlich auch nach Selbst-Verwirklichung, befriedigen können. Bevor das aber gelingen kann, müssen wir für die nötige Basis sorgen. MASLOW verdeutlicht uns also eine wichtige Grundbedingung für motiviertes Lernen:

> *Beachten und sorgen Sie für ihre primären Bedürfnisse,*
> *bevor Sie mit dem Lernen beginnen!*

meine Bedürfnisse

Ü12: Setzen Sie ein Häkchen, wenn Sie ein Bedürfnis in der Regel gestillt haben, bevor Sie lernen.

Markieren Sie die Bedürfnisse, auf die Sie in Zukunft vor dem Lernen / vor Prüfungen mehr Wert legen wollen, mit einem Ausrufezeichen.

√		!
	Gesunde Ernährung (Bananen, Studentenfutter, ... Vollkornbrot...)	
	Ausreichende Flüssigkeitsversorgung (wenig Kaffee , kein Alkohol)	
	Regelmäßige Bewegung (Sport, möglichst an der frischen Luft)	
	Vermeiden von Konfliktsituationen, Stress und Streit	
	Ausreichend Schlaf	
	Anerkennung und Angenommensein (PS: Ja, wir können uns auch selbst loben!)	
	eigene:	

1.1.2 Lern-Motivation durch „Bewusst-Machen" eigener (persönlicher) Ziele

Den Wunsch zur Befriedigung unserer Grundbedürfnisse haben wir bereits mit dem Begriff der *intrinsischen Motivation* verbunden. Sie ist unser innerer Motor, sie prägt unsere Persönlichkeit, indem sie uns – in der Regel unbewusst – antreibt und unsere Wahrnehmung, unser Denken und unser zielgerichtetes Handeln bestimmt.

Jedes intrinsisch motivierte Handeln fällt uns leicht und hält uns meist sehr lange „auf Kurs", da es unseren eigenen Bedürfnissen entspringt. Voraus-

gesetzt, wir können uns das erlauben, **folgen wir unseren eigenen, ganz persönlichen Zielen, mit starker Motivation und Leichtigkeit!**

Wie bereits erwähnt, werden wir, außer durch in uns selbst liegende Faktoren, auch durch äußere Faktoren motiviert. Impulse aus unserer Umwelt, Situationen, Menschen und Notwendigkeiten - solche äußeren Anforderungen werden als *extrinsische Motivation* bezeichnet. Wir tun etwas, weil wir uns davon einen Vorteil (Belohnung) versprechen oder Nachteile (Bestrafung) vermeiden möchten. Wir alle kennen solche Situationen aus der Schule: gute Note = Vorteil (Belohnung), schlechte Note = Nachteil (Bestrafung). Extrinsische Motivation nehmen wir bewusst wahr, sie kann uns ebenfalls gut motivieren – besonders dann, wenn sie unseren eigenen Zielen vermeintlich entgegenkommt, indem sie uns eine Befriedigung unserer Bedürfnisse verspricht.

Extrinsische Motivation kann dann letztlich auch unseren eigenen (persönlichen) Zielen dienen!

Ein Beispiel: Ich übe einen Beruf aus, um Geld zu verdienen (= Anreiz, extrinsische Motivation). Das Geld erlaubt mir aber auch, Statussymbole zu kaufen – es verspricht mir damit Anerkennung (soziales Bedürfnis) und die Steigerung meines Selbstwertgefühls.

Intrinsische (meist unbewusste) Motive und extrinsische (bewusste) Anreize bewirken gemeinsam unsere Motivation und führen uns schließlich zum zielgerichteten Handeln! Die folgende Grafik veranschaulicht dies.

Unsere

MOTIVATION

eigene Ziele zu erreichen, ist
ein Produkt aus:

INTRINSISCHER MOTIVATION
(Eigenmotivation)

Bereits die Handlung an sich ist Belohnung.

Ich mache es aus „Spaß an der
Freud".

EXTRINSISCHER MOTIVATION
(Fremdmotivation)

Die Handlung verspricht uns eine Belohnung von außen und bestenfalls
Bedürfnisbefriedigung.

Ich mache es als „Mittel zum Zweck".

Abbildung 4: Unsere Motivation

*mein
Herzenswunsch*

Ü13: Denken Sie an einen wundervollen Moment Ihres Lebens
zurück, in dem ein Herzenswunsch in Erfüllung gegangen ist.

....

....

Warum war es Ihr Herzenswunsch? Was war Ihre Motivation?
Nennen Sie mindestens drei Motive!

....

....

....

Wenn Sie sich an einen Herzenswunsch erinnern, ist das hervorragend. Sie
können im Folgenden unser Beispiel „Führerscheinerwerb" durch *Ihren*
Herzenswunsch ersetzen.

Das Beispiel „Führerschein" veranschaulicht die große Bedeutung eigener (persönlicher) Ziele: Warum ist unsere Motivation beim Führerscheinerwerb meist sehr hoch? Warum sind wir bereit, über einen relativ langen Zeitraum immer wieder langweilige Theoriebögen auszufüllen, jede Woche abends an Theoriestunden teilzunehmen und ggf. sogar zwischenzeitliche Misserfolge hinzunehmen?

Warum haben wir diese Ausdauer nicht auch in der Schule beim Vokabellernen oder den Mathematikhausaufgaben (gehabt)? Wo ist der entscheidende Unterschied?

Der Führerschein befriedigt mehrere unserer Bedürfnisse! Er ist deshalb für viele Menschen ein attraktives Ziel. Er bedeutet beispielsweise ein Stück mehr Unabhängigkeit (Autonomie). Er eröffnet uns viele neue Möglichkeiten (z. B. den eigenen Urlaub mit Freunden oder den Discobesuch ohne Elterntaxi) und ist damit auch ein Schritt zu mehr Selbstständigkeit. Ob die Motivation dabei vorrangig extrinsischer oder intrinsischer Art ist, spielt keine Rolle.

Entscheidend ist, dass es sich um ein eigenes, für Sie bedeutendes Ziel handelt!

Die Mittel und Werkzeuge, die wir zum Erwerb des Führerscheins benötigen, akzeptieren wir als Notwendigkeit. Das Lernen und Üben für das große Ziel (Führerschein) macht zwar vielleicht im Augenblick keinen Spaß, wir tun es aber trotzdem, weil die Motivation so hoch ist.

Lernen ist DAS Werkzeug zur Wunsch- bzw. Ziel-Erfüllung.

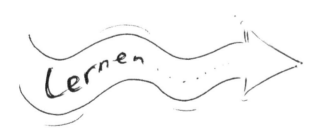 

Wenn Sie Ihr Ziel kennen und lieben, müssen Sie das Werkzeug (das Lernen) selbst zwar nicht unbedingt lieben, Sie müssen es aber als notwendig akzeptieren und zumindest zu einem gewissen Grad beherrschen!

Das Führerscheinbeispiel verdeutlicht, wie zutreffend die alte Weisheit ist:

„Nicht für die (Fahr-)Schule, sondern für das Leben lernen wir".

Die Tatsache, dass Ihre Motivation hoch ist, bedeutet zwar nicht automatisch, dass Ihnen das Lernen (der Führerscheintheorie) für den Führerschein mühelos gelingen wird, ernstzunehmende Motivationsprobleme dürften Sie dabei jedoch nicht haben. Der Grund: Sie haben das Lernen als Werkzeug und damit als nötige Voraussetzung zur Ziel-Erreichung (erfolgreiche Prüfung) akzeptiert.

1.1.3   Lern-Motivation durch Fremd-Ziele?

„Fremd-Ziele"? Dieser Begriff drückt aus, dass eine andere Person uns ein Ziel, nämlich ihr Ziel, vorgibt. Üblicherweise geschieht das durch Zuweisung

von Aufgaben. Das gilt für die Schule ebenso wie für Ausbildung und Beruf.

Den entscheidenden Unterschied erkennen Sie sofort, wenn Sie die folgenden Formulierungen betrachten:

Die eigenen (persönlichen) Ziele beginnen in der Regel mit *"Ich will ..."*, die „Fremd-Ziele" dagegen mit *"ich soll..."*. Wenn Sie also etwas machen *sollen*, dann resultiert diese Aufforderung aus den Zielen einer anderen Person! Zur besseren Übersicht bezeichnen wir im Folgenden auch die von anderen Menschen gestellten Aufgaben (z. B. Hausaufgaben des Lehrers oder Arbeitsanweisungen vom Chef) als „Fremd-Ziele".

mein Arbeitstag

Ü14: Denken Sie an einen normalen Arbeitstag.
Notieren Sie auf der folgenden Seite 10 Tätigkeiten, die Sie an einem solchen Tag ausführen. Kreuzen Sie an, ob Sie damit eigene oder fremde Ziele verfolgen.

Meine Tätigkeiten...	eigenes Ziel	„Fremd-Ziel"

Im Alltag verfolgen wir nicht immer vorrangig eigene Ziele, sondern meistens die anderer Personen. Zumindest glauben wir das bei Arbeitsanweisungen in Schule und Beruf oft – nämlich dann, wenn wir nicht erkennen, dass uns die Erledigung vorgegebener Tätigkeiten auch der Erreichung unserer eigenen Ziele näher bringt.

Ein von außen (etwa vom Lehrer oder Vorgesetzten) vorgegebenes Ziel motiviert uns oft nur wenig oder gar nicht, vor allem dann nicht,

▷ wenn wir es überhaupt nicht als Ziel erkennen können,

▷ wenn es nicht mit unseren Zielen übereinstimmt,

▷ oder eben, wenn wir „nur" nicht erkennen, dass es unseren eigenen (persönlichen) Zielen dient.

Ein „Fremd-Ziel" verlangt von uns dann normalerweise Anstrengung, Disziplin und Selbstkontrolle, die wir übrigens allzu gerne aufzugeben bereit sind, sobald wir einen Vorwand finden.

Das unterscheidet grundsätzlich „Eigen-Ziele" von „Fremd-Zielen": Verfolgen wir eigene Ziele (selbst, wenn wir sie uns nicht bewusst machen), dann setzt ein selbstständig ablaufender (autonomer) Prozess ein, den die Motivationsforscherin MAJA STORCH (2011, S. 104) als *Selbstregulation* bezeichnet. Wir tun die Dinge dann „einfach". Bei „Fremd-Zielen" benötigen wir hingegen viel Selbstdisziplin (Willenskraft, auch Volition genannt). Denken Sie etwa an die Hausaufgaben in der Schule, vielleicht sogar an bestimmte Fächer, die Sie nicht oder wenig motivier(t)en.

Die Wissenschaft ist sich inzwischen weitgehend einig, dass wir Menschen prinzipiell und vor allem lang andauernd nicht von außen, sondern letztlich nur von innen motiviert werden.

Vielleicht wenden Sie jetzt ein, Sie hätten sehr wohl die Erfahrung gemacht, dass andere Menschen Sie motivieren konnten. Vielleicht war dies zum Beispiel ein Sporttrainer oder ein Lehrer, den Sie gerne mochten. Rufen Sie sich eine solche Situation noch einmal genau ins Gedächtnis und fragen Sie sich: Was genau geschah in diesem Prozess?

Unter Umständen erinnert Sie dieses Erlebnis an die Aussage der Pädagogin MARIA MONTESSORI:

Hilf mir, es selbst zu tun!

Oft ist es genau diese Absicht, die solche „Motivatoren" auszeichnet. Es gelingt ihnen, Aufgaben so zu stellen, dass sie unseren Bedürfnissen entsprechen. Wenn das nicht gelingt, dann regen sie uns vielleicht „nur" dazu an, über unsere Ziele nachzudenken, und das von uns Verlangte fällt uns leichter, weil es plötzlich einen Sinn für uns ergibt. „Fremd-Ziele" können so mit unseren Zielen verbunden werden. Im Idealfall können „Fremd-Ziele" dann teilweise zu unseren eigenen Zielen werden.

Dieses Umdenken ist ein aktiver Prozess, den nur wir selbst vollziehen können.

**Der einzige Mensch, der Sie auf Dauer wirklich motivieren kann,
sind Sie selbst!**

Die Umstände und Ihr persönliches Umfeld können Sie dabei lediglich unterstützen. Der Biologe und Philosoph G. BATESON (BATESON 1972, S. 37) erklärt das so:

*The man can only take the horse to the water
but cannot make it drink.*

(Ein Mann kann dem Pferd nur den Weg zum Wasser zeigen, trinken muss es selbst.)

**Also: Lassen Sie sich ruhig helfen
und helfen Sie auch anderen ...
es selbst zu tun!**

1.2 Ihre vier Lern-Motivationshilfen

Sie haben das scheinbare Dilemma erkannt: Eigene Ziele zu verfolgen und intrinsisch motiviert zu sein, ist der sicherste Weg zum Erfolg. Im Alltag, in der Schule oder im Beruf etwa, müssen wir jedoch häufig fremde Aufgaben („Fremd-Ziele") erledigen, wir sind dann (im besten Falle) extrinsisch motiviert. Die Erledigung dieser Aufgaben fällt uns eher schwer, Erfolge stellen sich so nur zögernd oder gar nicht ein – nämlich dann, wenn wir eine ungeliebte Aufgabe zur Seite schieben und gar nicht erst erledigen. Wie können Sie nun diesem Dilemma („Fremd-Ziele") entrinnen?

▷ Sie selbst können für sich motivierende Voraussetzungen schaffen!

▷ Sie können und sollten unbedingt versuchen Fremd- und Eigenziele zu verknüpfen, damit Aufgaben für Sie persönlich einen Sinn ergeben!

▷ Sie können Ziele derart modifizieren, dass sie erreichbar werden!

Wir weisen an dieser Stelle besonders auf die Bedeutung der intrinsischen Motivation hin, die zuvor erläutert wurde. Wie nun können wir möglichst sicher aufspüren, was genau uns von innen heraus antreibt? Eine Antwort gibt das ZRM (Züricher Ressourcen Modell). Dabei geht es um die Bewusstmachung unserer unbewussten Motive; um die Kommunikation zwischen unserem bewussten, verbalen Denken und der unbewussten Ebene, die sich uns nur nonverbal - über unsere Sinne - mitteilen kann. Die Kommunikation erfolgt dabei über Bilder, die unsere Gefühle sichtbar machen bzw. berücksichtigen und mit unserer bewussten Sprachwelt verknüpfen (STORCH, 2011, S. 82ff).

Für die Kommunikation mit unserem Unterbewusstsein kennen wir drei, vor allem aus der Sportpsychologie bekannte, Mentaltechniken:

▷ Selbstgespräch

▷ Visualisierung

▷ Körpergefühl (Embodiment)

Diese drei Techniken, die weiter unten vertieft werden, helfen uns beim Finden, Formulieren und Verknüpfen unserer Fremd- und Eigen-Ziele.

Die beste Grundlage für unseren Erfolg sind unsere eigenen Wünsche. Sie bewirken eine hohe Identifikation mit dem Ziel und sind so ein entscheidender Schlüssel zu intrinsischer Motivation. Um ihre Energie zu nutzen, werden wir mit ihnen „arbeiten".

Wir benötigen dafür die drei genannten Mentaltechniken sowie eine konkrete Planung unserer Ziele (SMART und SALAMI-Taktik; beide werden später erläutert). Die folgenden vier bewährten Motivations-Hilfen (MH) beinhalten diese Aspekte und helfen Ihnen, in dieser Reihenfolge angewandt, bei der Zielerreichung:

> **MH 1: Malen Sie sich Ihre Wünsche aus!**
>
> **MH 2: Formulieren Sie Ihre Ziele und Teilziele richtig!**
>
> **MH 3: Überprüfen Sie Ihre Ziele regelmäßig!**
>
> **MH 4: Beginnen Sie!**

1.2.1 MH 1: Malen Sie sich Ihre Wünsche aus!

Wenn Sie sich Ihre eigenen Wünsche bewusst machen (z. B. durch Ausmalen), können „Fremd-Ziele" - im Idealfall - zu Ihren eigenen Zielen werden! Zumindest aber können Sie sich selbst verdeutlichen, inwieweit eine bisher ungeliebte Aufgabe dazu beitragen wird, die eigenen Ziele zu erreichen. In dem Maße, wie die Aufgabe für Sie persönlich mehr Sinn bekommt, wird sie sich besser anfühlen und Ihnen leichter fallen. Oft kommt es dabei nur auf den Blickwinkel, auf Ihre Einstellung an.

Hierzu ein Beispiel:

Die Aufgabe ist für alle drei Arbeiter die gleiche: ein Brett zu bearbeiten. Zunächst ist das ein Fremdziel. Dadurch, dass sie ihr Tun aber auf unterschiedliche Weise in einen Sinnzusammenhang einordnen, sind sie unterschiedlich motiviert.

Unser Ziel bestimmt unsere Motivation!

Sie erkennen an diesem Cartoon, dass Visionen zentrale Bedeutung für Ihr Leben haben - selbst dann, wenn Sie sie vielleicht von jemand anderem übernehmen und erst zu Ihrer eigenen machen müssen. Eine zunächst langweilig erscheinende (Fremd-)Aufgabe wird verknüpft mit der eigenen Vision, sodass diese Vision letztlich zur Selbst-Verwirklichung beiträgt (vgl. Bedürfnispyramide). Wenn Sie erfolgreiche Menschen befragen, werden Ihnen alle ihre Vision benennen und genau beschreiben können.

Ü15: Übertragen Sie die im Cartoon dargestellte Parabel auf eine Ihrer Tätigkeiten. Finden Sie passende Formulierungen für die drei Sprechblasen. Sie können auch gerne einen eigenen Cartoon zeichnen. Platz hierfür finden Sie auf der Seite 53.

ich gebe Sinn

....

....

....

Wenn Sie sich beim Formulieren konsequent am Cartoon orientiert haben, enthält die dritte Sprechblase bereits eine Art Vision.

Verfolgen Sie bereits eine Vision in Ihrem Leben? Wenn nicht, wird es dann nicht höchste Zeit, das zu ändern? Vielleicht fragen Sie sich nun: Wie komme ich zu einer Vision? Oder: Wie kann ich an und mit meiner Vision arbeiten, damit sie mich im Alltag motiviert?

Eine Vision ist zunächst meist eine grobe Vorstellung der Zukunft, eine Art Zielkorridor. Diesen gilt es nun mithilfe der genannten Werkzeuge auszugestalten.

Probieren Sie dazu die drei folgenden Übungen einfach aus. Sollten Sie noch keine eigene Vision vor Augen haben, können Sie für die folgenden drei Übungen die Zeugnisübergabe Ihrer Abschlussprüfungen nehmen.

1. Das Selbstgespräch

Selbstgespräche helfen uns dabei, Visionen und Wünsche bewusst zu machen und sie zu formulieren.

mein Selbstgespräch

Ü16: Suchen Sie einen ruhigen Ort, an dem Sie ungestört sind. Schließen Sie die Augen und stellen Sie sich Ihre Vision (oder die fiktive Vision der Zeugnisübergabe) vor.

Sprechen Sie laut (!) mit sich selbst darüber! Beschreiben Sie die Situation möglichst genau. Sprechen Sie dabei zu sich, wie Sie zu einem Freund sprechen würden, um ihn/sie zu motivieren Überlegen Sie: Wie könnte ein Satz lauten, der Sie motiviert? Was würden Sie sich in Ihrer Vision zurufen.

....

....

....

2. Visualisierung

Visualisieren Sie Ihre Vision und nehmen Sie sie mit allen Sinnen wahr! Eine Visualisierung (das innere Bild, der innere Film) verbindet unsere Vision mit unserem Körpergefühl. Unsere Vision sollte uns nicht nur richtig und wichtig sein (auf der bewussten, rationalen Ebene), sie sollte sich auch gut anfühlen.

meine Vision

Ü17: Schließen Sie die Augen und stellen Sie sich Ihre Vision (ggf. wieder die fiktive Zeugnisübergabe) vor.

(Lassen Sie sich die Anweisungen wenn möglich vorlesen, damit Sie sich ganz auf Ihre Visualisierung konzentrieren können.) Versuchen Sie, möglichst viele Details wahrzunehmen.

Betrachten Sie Ihr Bild genau:

▷ Bin ich "drinnen" im Bild - oder schaue ich mir selbst von außen zu?

ich nehme wahr

▷ Beobachten Sie folgende Aspekte: Abstand? Größe? Farben? Helligkeit? Kontrast?

▷ Welche Emotionen verknüpfen Sie mit dieser Vorstellung?

Lassen Sie dieses Bild im Folgenden **inhaltlich** unverändert. Gehen Sie nun ans Feintuning; gestalten Sie das Bild **visuell** noch angenehmer:

▷ Ist es besser, im Bild zu sein oder es von außen zu beobachten? Probieren Sie!

▷ Bringen Sie das Bild in eine bessere Position (Abstand), sodass es sich gut „anfühlt".

▷ Spielen Sie mit der Größe von Personen und auch mit dem Bild von Ihrem Zeugnis.

▷ Verändern Sie die Farben, sodass ein angenehmer Eindruck entsteht.

▷ Verbessern Sie dann die „Beleuchtung".

▷ Machen Sie die Kontraste für Ihren Geschmack so angenehm wie möglich.

▷ „Fühlt" sich das Bild besser an, wenn Bewegung ins Spiel kommt?

Reflexion: Hat sich durch das Modifizieren Ihres ursprünglichen Bildes etwas an Ihrer Gefühlslage verändert?
Löst dieses Bild jetzt positivere Emotionen aus?

Notizen: ....

....

....

3. Körpergefühl

Die Beachtung des Körpergefühls hilft uns dabei, Visionen, Wünsche und Ziele auf ihre tatsächliche Attraktivität für uns zu überprüfen. Im ZRM spricht man von sogenannten somatischen Markern, physischen Reaktionen unseres Körpers (STORCH 2011, S. 21). Das kann z. B. Gänsehaut sein, ein wohlig warmes Bauchgefühl oder auch ein spontanes Lächeln. Jeder Mensch zeigt andere körperliche Reaktionen. Spüren Sie selbst - seien Sie offen und aufmerksam.

ich fühle meine Vision

Ü18: Stellen Sie sich Ihre Vision (oder die Zeugnisübergabe) erneut bei geschlossenen Augen und in ruhiger Umgebung vor. Achten Sie nun auf jegliche Art von körperlicher Reaktion auf das Vorgestellte. Wie fühlt sich die Vision an?

....

....

....

Über diese „Prüffunktion" hinaus führen positive Körpergefühle zu einer Verankerung unserer Ziele.

Aktuelle Forschungen beschäftigen sich mit dem sogenannten Embodiment. Dabei wird der Zusammenhang zwischen Körperhaltung, Bewegung, Mimik und Gestik auf der einen und den Gefühlen eines Menschen auf der anderen Seite untersucht.

Wir kennen das aus dem Alltag: Wie es uns geht, erkennen wir am Gesichtsausdruck, am Gang, an der Haltung, wir hören es sogar an der Stimme. Interessant ist die Wechselwirkung: Gefühle beeinflussen unsere Körperhaltung - umgekehrt beeinflusst aber auch die Körperhaltung unsere Gefühle.

Denken Sie künftig im Alltag daran: Sie können aktiv auf Ihre Stimmung und damit auch auf Ihre Motivation Einfluss nehmen! Mit der nächsten Übung können Sie in Ihrer Vision Ihre Körperhaltung verändern.

Ü19: Stehen Sie mit hängendem Kopf, Schultern nach vorne, Rücken rund. Sagen Sie jetzt laut: „Mir geht es gut".

meine Haltung, meine Gefühle

Manche Menschen beginnen wegen des offenkundigen Widerspruches zu lachen.

Stehen Sie jetzt aufrecht, Kopf hoch, wenn Sie möchten, strecken Sie auch die Arme hoch. Sagen Sie nun laut: „Mir geht es schlecht".

Sie grinsen? Das Erlebnis spricht für sich…

▷ Versetzen Sie sich nun zurück in Ihre Vision und verändern Sie hier Ihre Haltung! Spüren Sie den Unterschied?

Visualisierung, Selbstgespräche und Embodiment sind im Spitzensport längst Standard. Auch wenn es etwas Übung erfordert - die zu erwartenden Effekte lohnen den Aufwand.

1.2.2 MH 2: Formulieren Sie Ihre Ziele und Teilziele richtig!

Selbst wenn Sie noch keine eigene Vision entwickelt haben, können und sollten Sie für die konkrete Planung all Ihrer Ziele sowohl die SMART-Regel als auch die SALAMI-Taktik anwenden.

Ü20: Überlegen Sie kurz und kreuzen Sie dann an.

Was - glauben Sie - motiviert Sie mehr:

ich formuliere optimal

☐ Im nächsten Januar möchte ich meinen Führerschein haben.

☐ Ab nächstem Januar möchte ich nicht mehr laufen müssen.

☐ Ab nächstem Januar möchte ich zur Arbeit fahren können.

Positiv formulierte Ziele, sogenannte **„Hin-Zu"-Ziele**, können uns in der Regel besser zum zielgerichteten Handeln motivieren. Wenn Sie nicht genau formulieren, was Sie möchten, wissen Sie auch nicht, was Sie tun müssen, um Ihr Ziel zu erreichen.

Im Beispiel könnten Sie bei B) auch „Fahrrad fahren", „Bus nutzen" oder einfach „Taxi Mama" wählen. Eine solches „Weg-von"-Ziel sagt uns allerdings nicht, was wir wollen, sondern nur, was wir nicht wollen.

Damit erfüllt es nicht die Kriterien „S" und „A" der sogenannten **SMART-Regel**, einer sehr bewährten Methode der Zielformulierung, die besagt, dass Ziele folgende Kriterien erfüllen müssen, damit wir sie mit hoher Wahrscheinlichkeit auch erreichen:

S M A R T

S - spezifisch: Ein Ziel muss konkret, eindeutig und präzise formuliert sein, sonst bleibt es nur ein vager Wunsch.

M - messbar: Ein Ziel und sein Erreichungsgrad müssen überprüft werden können.

A - attraktiv: Ein Ziel muss attraktiv sein, sodass man sich wünscht, es zu erreichen. Und statt Anweisungen, was nicht getan werden soll, muss es Ansatzpunkte für positive Veränderungen aufzeigen.

R - realistisch: Ein Ziel muss zwar hochgesteckt, aber immer noch erreichbar sein.

T - terminierbar: Ein Ziel muss einen festen Endpunkt haben, an dem es erreicht / verwirklicht sein soll.

Mit Hilfe dieser SMART-Regel erkennen Sie übrigens auch sofort, warum „Gute Vorsätze" nicht funktionieren. Eine Volksweisheit besagt:

Der Weg zum Himmel ist mit guten Vorsätzen gepflastert.

Überlegen Sie: Warum nehmen Sie sich etwas vor? Vielleicht, weil Sie etwas bisher anders oder auch gar nicht gemacht haben. Der Grund hierfür kann darin liegen, dass wir mit der bisherigen Gewohnheit gar nicht so unglücklich waren.

Den Vorsatz „Ich werde regelmäßig und maßvoll Sport treiben" akzeptieren Sie vermutlich als sinnvoll und sachlich korrekt – wie wohl die meisten Menschen. Unser Verstand bejaht dieses Ziel und misst ihm darüber hinaus oft sogar eine große Bedeutung zu. Trotzdem treiben viele Menschen nicht regelmäßig Sport.

Offensichtlich löst bei vielen Menschen der Gedanke an Sport keine oder nur geringe „Hin-Zu"-Motivation aus. Ungeachtet der Tatsache, dass dieser Vorsatz nicht SMART formuliert ist, ist festzustellen, dass der Sport bei diesem Vorsatz lediglich ein Mittel zum Zweck ist. Der Zweck könnte hier z. B. die Gesundheit sein. Sie wäre dann das eigentliche Ziel. Dieses Ziel ist aber im Vorsatz nicht berücksichtigt. Der entsprechende Vorsatz enthält somit kein erstrebenswertes Ziel. Der oben genannte Vorsatz klingt nur rational gesehen erstrebenswert, die vermeintliche Gesundheit ist jedoch ein sehr ferner und vager Wunsch.

An dieser Stelle können wir Ihnen nur empfehlen, keine Energie für Vorsätze zu verschwenden! Denn: Vorsätze sind nur (fromme) Wünsche, sie sind weder Ziele noch zielführend!

Beim Versuch, Ziele SMART zu formulieren, können Probleme auftreten, nämlich dann, wenn die Ziele noch zu groß und damit unspezifisch sind. **Zerlegen Sie deshalb große Ziele in viele kleinere Ziele und Teilziele!** Wenden Sie die „SALAMI-Taktik" so lange an, bis Sie konkrete („S"), erreichbare („R") und messbare („M") Aufgaben erhalten.

Einer der besten Profi-Tennisspieler aller Zeiten, PETE SAMPRAS (u. a. siebenmaliger Wimbledon-Gewinner) erklärt sein Erfolgsrezept so:

> *"Ich versuche nie, ein Turnier zu gewinnen.*
> *Ich versuche auch nie, einen Satz oder ein Spiel zu gewinnen.*
> *Ich will nur diesen Punkt gewinnen."*

Das bewusste Formulieren unserer Ziele, in diesem Falle durch das Zerlegen eines großen Ziels in viele kleine Ziele, ist auch deswegen hilfreich, weil wir uns gut fühlen, sobald wir ein kleines (Teil-)Ziel erreicht haben.

Sie merken vermutlich schon, weshalb wir diese Vorgehensweise empfehlen: Sind unsere Ziele hoch gesteckt, dann ist die Wahrscheinlichkeit des Scheiterns ebenfalls hoch. Doch das bedeutet nicht, dass Sie keine hohen Ziele haben sollten! Ihre Vision (Motivationshilfe Nr.1) ist schließlich auch ein sehr großes Ziel! Die Kunst besteht darin, große Ziele in viele kleinere Teilziele zu zerlegen und sie so erreichbar zu machen (das „R" von SMART). Eine Kurzanleitung zu dieser „SALAMI-" Taktik finden Sie in Modul 8.

SALAMI-Taktik und SMART-Regel müssen im wiederholten Wechselspiel angewandt werden. Sie bedingen sich gegenseitig: Jedes neue Ziel/Teilziel muss SMART formuliert werden; jedes so formulierte Ziel kann wiederum zerlegt werden usw. Allerdings leidet erfahrungsgemäß dabei häufig das „A", also die Attraktivität des Ziels bzw. der Teilziele. Deshalb ist auch ein ständiger Einsatz der drei Mental-Techniken aus 1.2.1 nötig, nämlich jedes Mal, wenn Sie ein neues Ziel oder Teilziel formulieren. Überprüfen Sie dann mittels Selbstgespräch, Visualisierung und Körpergefühl, ob die Zielvorgabe stimmig ist. Darüber hinaus sollten Sie Ihre so gefundenen Ziele langfristig einer Prüfung unterziehen. Wie das funktioniert, erfahren Sie im Folgenden.

1.2.3   MH 3: Überprüfen Sie Ihre Ziele regelmäßig!

Ihre großen und bedeutenden Ziele, sogar Ihre Vision, sollten sie regelmäßig, z. B. einmal jährlich, überprüfen. Mit den drei Mentaltechniken können Sie prüfen, ob Sie aus Ihrem Inneren heraus noch zustimmen, ob sich das, was Sie verfolgen, noch gut anfühlt. Einen schnellen Einstieg in eine solche Überprüfung bietet die folgende Übung.

Ü21: Denken Sie über eine Tätigkeit nach, die Sie zurzeit in Anspruch nimmt – Ihre Tätigkeit ist:

ich überprüfe meine Ziele

....

Entspricht diese Tätigkeit aktuell noch Ihren Zielen?
Wie fühlt sich der Gedanke an, mit dieser Tätigkeit wie bisher fortzufahren?

     eher angenehm   ☐   ☐   ☐   ☐   eher unangenehm

Wie fühlt sich der Gedanke an, diese Tätigkeit nicht mehr auszuführen?

     eher angenehm   ☐   ☐   ☐   ☐   eher unangenehm

Bedenken Sie, dass Ziele, nur weil sie uns bisher sinnvoll erschienen (und wir sie bisher vielleicht nie hinterfragt haben), nicht immer die richtigen Ziele für uns sind. Zudem können sich Ziele im Laufe des Lebens ändern. Sie können sogar überflüssig werden. Denken Sie an das Laufen-Lernen: Ab dem Zeitpunkt, an dem Sie es konnten, war es kein Ziel mehr.

Aber nicht immer muss ein Ziel erreicht sein, um die Notwendigkeit eines neuen Ziels zu erkennen. Ebenso wichtig ist auch eine regelmäßige Kontrolle bestehender, noch nicht erreichter Ziele. Eine einfache Methode zur Überprüfung Ihrer Ziele haben Sie eben (Ü 21) kennen gelernt. Aber auch die drei Übungen aus 1.2.1 eignen sich dazu hervorragend.

Als Ergebnis dieser Überprüfung werden Sie entweder feststellen, dass Ihre Ziele noch „passen" oder dass sie genau dies nicht mehr tun. Letztlich haben Sie immer drei Möglichkeiten:

Love it, change it or leave it!

Das bedeutet: Das Ziel *passt*: „Love it"! – oder: Das Ziel *passt nicht*: "change it" oder "leave it"!

Wenn ein Ziel noch „passt", Sie sich also für „Love it" entschieden haben, dann lohnt es sich, viel Energie dafür aufzuwenden! Das gilt selbstverständlich auch für Fremd-Ziele!

Sollten Sie bemerken, dass ein Ziel nicht mehr „passt", dann müssen Sie sich entscheiden! Sie können zunächst versuchen, Ihr Ziel anders zu formulieren oder ein übergeordnetes Ziel zu finden (denken Sie dabei an Ihre Grundbedürfnisse). Zeigt die Überprüfung Ihres Ziels jedoch, dass Sie (ggf. auch dann) nicht mehr damit einverstanden sind, bleibt nur eine letzte Möglichkeit: Lassen Sie das Ziel fallen und suchen sich ein anderes. Das ist sicher nicht einfach, aber sinnvoller und *EffEff* - effektiver und effizienter - als jahrelang etwas zu tun, was sich für Sie falsch anfühlt und Sie vielleicht sogar quält.

Besondere Aufmerksamkeit verdient an dieser Stelle der Hinweis, dass Sie sich unter Umständen auch mal gezwungen sehen können, Ziele „passend machen" zu müssen. Beispielsweise können Sie in der Regel nicht frei wählen, ob Sie arbeiten wollen oder nicht. Gleiches gilt für die Zeit des Schulbesuchs (zumindest während der neunjährigen Schulpflicht). Sollten Sie sich über diese Tatsache ärgern, wird sich nichts verändern - außer, dass Sie vielleicht Magengeschwüre bekommen. Die einzig sinnvolle Entscheidung ist es dann, Ihre Sicht auf diese Dinge zu verändern: Akzeptieren Sie unveränderbare Situationen als unveränderbar und machen Sie das Beste daraus. Das ist jedenfalls klüger, als Ihre Energie mit Jammern und Klagen zu vergeuden.

Reflektieren Sie nun noch einmal Ihre Tätigkeit aus Übung 21:

Do you... „love it, ...?"

Zwischenzeitliche Misserfolge sind übrigens kein zwingender Grund, an einem Ziel zu zweifeln. Das Gegenteil ist oft der Fall!

Wenn Misslingen, etwa beim Laufen-Lernen, wirklich schlecht für uns Menschen wäre, dann hätten die meisten von uns überhaupt nicht Laufen gelernt. Ständiges Hinfallen hätte uns derart demotiviert, dass wir dieses Ziel schnell als unerreichbar eingestuft und aufgegeben hätten. Das geschieht aber nicht, im Gegenteil:

Kinder lernen Laufen – von Fall zu Fall.

Offensichtlich gelingt es uns, aus Misserfolgen zu lernen. Und dieses Prinzip gilt sogar generell: Jeder Misserfolg bietet uns Chancen zum Lernen und Verbessern.

hinfallen ... aufstehen ... Krönchen richten ... weitergehen

Die Akzeptanz ist lediglich eine Frage der Sichtweise! Vielleicht hilft Ihnen ein kleines Wortspiel: „**Misserfolg?** → **Miss** (den) **Erfolg!**" Das kann bedeuten: Was habe ich wie gemacht? Was daran war gut? Was war weniger gut oder sogar schlecht? Was kann ich verbessern, damit es nächstes Mal besser klappt?

1.2.4   MH 4: Beginnen Sie ...

Den bekannten inneren Schweinehund werden wir nicht auf Dauer und zuverlässig los. Aber: Nur wir selbst können uns hindern, etwas zu tun. Anders ausgedrückt: Nur wir selbst entscheiden, was wir tun oder nicht tun. Sonst niemand.

Wir selbst sind für uns und unser Handeln verantwortlich. Wir haben immer die Möglichkeit auf günstige Umstände und Motivation von außen zu hoffen; unsere Stärke als menschliche Wesen aber liegt darin, dass wir für uns selbst und unsere Motivation das Entscheidende selbst tun können. Dazu müssen wir nur eines tun:

▷ *Handeln!*

... denn – um es abschließend mit Erich Kästner zu sagen:

Es gibt nichts Gutes, außer man tut es.

51

Modul-Rückblick durch die Brille Ihrer Lern-Persönlichkeit

Sie haben in diesem Modul über Ihre Grundbedürfnisse nachgedacht. Vor allem haben Sie gelernt, wie bedeutsam eine bewusste Zielsetzung ist. Zudem sind Sie sich nun im Klaren, wie Ziele unterteilt und formuliert werden müssen, damit Sie uns motivieren. Sie kennen drei Übungen, die eine Kommunikation mit Ihrem Unterbewusstsein ermöglichen. Die vier Motivationshilfen helfen Ihnen bei der Umsetzung.

Eine kleine Parabel verdeutlicht Ihnen am Ende nochmals den Zusammenhang von Lernen, Zielen und Motivation:

Es ist nicht das Schiff, das durch das Schmieden der Nägel und das Sägen der Bretter entsteht.

Vielmehr entsteht das Schmieden der Nägel und Sägen der Bretter aus der Sehnsucht nach dem Meer.

Die Parabel von Antoine de Saint-Exupéry, nach der man ein Schiff nicht baut, damit es fertig ist, sondern um damit die Sehnsucht nach dem Meer zu stillen, bedeutet auf das Lernen übertragen: Man lernt nicht Lernen und übt nicht Lernmethoden ein, um dieselben zu beherrschen, sondern um dem eigenen, großen Ziel näher zu kommen.

Das Ziel allerdings muss Ihr eigenes sein und es muss Ihnen vor allem bewusst sein!

Im nächsten Modul können Sie Ihr Wissen zu den grundlegenden Lernformen vertiefen und auf dieser Basis Ihr persönliches Lernverhalten optimieren.

Bevor Sie aber zum nächsten Modul gehen, **ziehen Sie bitte jetzt Ihre „Lern-Persönlichkeits-Brille" auf!**

Betrachten Sie die Informationen des Moduls zur Lern-Motivation noch einmal im Hinblick auf Ihre Lern-Persönlichkeit.

Helfen kann Ihnen dabei ein erneuter Blick auf das Ergebnis Ihrer Selbstanalyse.

Gehen Sie nun zu den Übungen dieses Moduls zurück und überlegen Sie jeweils, inwieweit Ihre dort formulierten Einträge mit Ihrer Lern-Persönlichkeit (mehr extrovertiert oder introvertiert, eher sachorientiert oder personenorientiert) in Zusammenhang stehen.

Hier ist Platz für Ihre Notizen zum Modul – gerne auch als Mind Map:

Modul 2: Kleine Lernpsychologie

„Was Hänschen nicht lernt, lernt Hans nimmer mehr!"

„Lernen ist wie rudern gegen den Strom,
wer damit aufhört, treibt zurück" (Laozi)

„Lernen, ohne zu denken, ist eitel;
denken, ohne zu lernen, gefährlich."(Konfuzius)

„Man muss viel gelernt haben, um über das, was man nicht
weiß, fragen zu können." (Jean-Jaques Rousseau)

Weisheiten zum Thema „Lernen" gibt es viele. In diesem Modul werden Sie drei Lernformen näher kennenlernen, die Ihr Lernverhalten - meist unbewusst - bestimmen. Am Ende des Moduls können Sie den Wahrheitsgehalt vieler „Weisheiten" zum Thema genauer beurteilen und Sie werden Kenntnisse gewonnen haben, um Ihr „Lernen" individuell-optimal besser zu organisieren.

Bevor Sie mit diesem Modul beginnen, denken Sie einmal darüber nach, was Ihnen spontan zum Thema „Lernen" einfällt?

Ü22: Welche Gedanken kommen Ihnen zum Thema Lernen?

Lernen?
Da denk
ich an...

....

....

....

....

....

....

Haben Sie Lust auf ein Experiment?

Im Anhang (Seite 216) finden Sie den sogenannten Assoziationstest nach SVANTESSON (2001, S. 109), der aus einer Liste mit 30 Begriffen besteht, die Ihnen mehr oder weniger bekannt sind. Zu jedem Begriff dürfen Sie bis zu drei Stichworte oder Assoziationen notieren. Hierfür haben Sie 10 Min. Zeit.

Der gesuchte Begriff darf im Stichwort nicht vorhanden sein. Wenn der Begriff „Löwe" verwendet wird, dürfen Sie „gelb, Wüste und gefährlich" notieren. Nicht erlaubt wäre zum Beispiel „Löwenzahn".

Anschließend knicken Sie die Spalte mit den Begriffen nach hinten weg, damit Sie den gesuchten Begriff bei der späteren „Gedächtniskontrolle" nicht sehen können.

hier knicken

Assoziation 1	Assoziation 2	Assoziation 3	Erinnert ...	Begriff
gelb	Wüste	gefährlich		Löwe

Abbildung 5: Assoziationstest

➲ Bearbeiten Sie jetzt den Test, bevor Sie weiterlesen!

ich assoziiere

Ü23: Schätzen Sie, an wie viele Begriffe Sie sich nach ein bis zwei Stunden noch erinnern können, wenn Sie drei Assoziationen verwenden können.

....

Lernen ist ...

das interessiert mein Gehirn

Ü24: Wann, glauben Sie, werden Informationen, die Ihr Gehirn erreichen, so richtig interessant?
Kreuzen Sie den Aspekt an, den Sie für richtig halten!

☐ Wenn ich schon alles darüber weiß!

☐ Wenn ich das eine oder andere darüber weiß!

☐ Wenn ich noch gar nichts darüber weiß!

56

Die Frage, wann Informationen für uns so richtig interessant sind, beantwortet GERALD HÜTHER (2007, S. 3), Professor für Neurobiologie, in etwa so:

Immer dann, wenn unser „Erinnerungsbild" im Gedächtnis mit unserem „Wahrnehmungsbild" nicht genau übereinstimmt, wird das „Erinnerungsbild" so lange umgestaltet und erweitert, bis Erinnerung und aktuelle Wahrnehmung zu einem neuen, veränderten „Erinnerungsbild" verschmelzen. Die beiden Bilder stimmen dann überein, die Welt ist wieder so, wie sie sein sollte.

Sie haben dann erfolgreich etwas Neues gelernt und Sie erleben diesen Prozess als spannend und aufregend und mit einem Gefühl von Zufriedenheit.

Hätten die beiden „Bilder" genau zueinandergepasst, dann hätten Sie das getan, was Sie schon immer in dieser Situation getan haben; wäre das „Wahrnehmungsbild" völlig unbekannt gewesen, hätten Sie es wahrscheinlich einfach ignoriert und als uninteressant abgetan.

Lernen ist die Fähigkeit, sein Verhalten

aufgrund individueller Erfahrung zu verändern.

Lernen setzt Gedächtnis voraus.

Das klingt sehr einfach und tatsächlich ist es auch so, denn jeder Mensch bringt alles mit, um sein Leben lang zu lernen. Diese Lernfähigkeit ist so wichtig und bedeutsam, dass es einem Menschen gar nicht möglich ist „nicht-zu-lernen"!

Im Folgenden werden wir (vereinfacht) drei zentrale Formen des Lernens betrachten und Ihnen an diesen Beispielen zeigen, dass es Ihnen wirklich unmöglich ist „nicht-zu-lernen".

> ▷ Reiz-Reaktions-Lernen
> ▷ Lernen am Erfolg
> ▷ Kognitives Lernen

2.1 Reiz-Reaktions-Lernen oder „Beiß' in die Zitrone …"

yummy,
Zitrone!

Ü25: Stellen Sie sich vor, dass Sie herzhaft in eine geschälte Zitrone beißen! Welche Reaktionen & Gefühle nehmen Sie wahr?

....

....

....

Wenn Sie sich vorstellen in eine Zitrone zu beißen, läuft den meisten Menschen das Wasser im Mund zusammen, manche verziehen das Gesicht und schütteln sich sogar. Alle empfinden diese Reaktion auch als Wechselspiel der Gefühle.

Interessanterweise können Sie sich wahrscheinlich nicht daran erinnern, diese Reaktion gelernt zu haben. Das liegt daran, dass es sich beim Reiz-Reaktions-Lernen um eine eher unbewusste Form des Lernens handelt. Diese Form des Lernens begleitete Sie schon als Embryo im Mutterleib. Dort hat Ihr Gehirn irgendwann die ersten Impulse des Körpers empfangen und gelernt auf diese Impulse zu reagieren. Deshalb kommen Menschen mit Ihrem individuellen Körper auch so gut zurecht, selbst wenn sie mit einer Behinderung geboren werden.

Bereits die Vorstellung einer Situation genügt uns Menschen als Reiz. Wir sagen zum Beispiel:

▷ „Mir läuft das Wasser im Mund zusammen!"

▷ „Ich darf überhaupt nicht daran denken!"

Viele unserer Einstellungen und Haltungen wurden in dieser Art ausgeprägt, auch unsere Vorlieben und Abneigungen.

Misserfolgserlebnisse, Tadel, Abwertung etc. können auf diese Weise unbewusst mit dem Lernprozess als solchem verbunden werden und unsere Einstellung zum Lernen negativ prägen. Umgekehrt können positive Gefühle wie Geborgenheit, angenehme Atmosphäre, Freude nach einem Lob etc. unsere Lernerfahrungen positiv prägen.

Machen Sie sich diese unbewussten Prozesse bewusst.

Ü26: Wo haben Sie negative Erfahrungen mit dem Lernen gemacht? Beschreiben Sie Ihre Erfahrung(en) möglichst genau!

....

....

....

*m e i n e
Zitrone!*

Es lohnt sich – so der richtige Umkehrschluss - sehr, das Lernen mit positiven Emotionen zu verbinden. Vermeiden Sie negative und schaffen Sie positive Verknüpfungen!

> ▷ *Schaffen Sie eine angenehme Lernatmosphäre, in der Sie sich wohlfühlen und die Ihnen das Gefühl von Sicherheit und Geborgenheit vermittelt.*
>
> ▷ *Kochen Sie sich z. B. einen Lerntee, den Sie gerne mögen und immer beim Lernen trinken dürfen.*
>
> ▷ *Lassen Sie keine Überforderung zu!*
>
> ▷ *Zerlegen Sie den Lernstoff in immer kleinere Einheiten, die Sie schließlich „mit Links" bewältigen können (Salami-Taktik).*
>
> ▷ *Gönnen Sie sich Pausen und Ruhephasen.*

ich kombiniere

Ü27: Wie könnten Sie bereits gemachte negative Erfahrungen positiv neu gestalten?

....

....

Welche Ideen haben Sie, um Ihren individuellen Lernprozess positiv zu verstärken?

....

....

Was davon möchten Sie ab sofort umsetzen?

....

....

Wenn Sie auch nur einen wichtigen Gedanken formuliert haben, der Ihre Beziehung zum Lernen in Zukunft positiv beeinflusst, dann haben Sie schon wieder etwas Wichtiges gelernt.

Blättern Sie noch einmal zurück. Sicher finden Sie in Modul 1 (Motivation) Ideen, die Ihnen helfen, Ihren Vorsatz für bestimmte Lernsituationen umzusetzen.

2.2 Lernen am Erfolg oder „Ich kann Mathe nicht ..."

Auch diese Lernform vollzieht sich eher unbewusst als bewusst. Während wir beim Reiz-Reaktions-Lernen auf einen Reiz mit einer bestimmten Reaktionsabfolge reagieren, die auch Emotionen beinhaltet, geht es beim Lernen am Erfolg um aktive Verhaltensweisen.

Wir erproben ein Verhalten und bewerten den Erfolg. Verknüpfen wir positive Erlebnisse und Gefühle mit dem Verhalten, dann wiederholen wir es. Verknüpfen wir negative Erfahrungen und Gefühle mit dem Verhalten, dann meiden wir es.

Oft erleben wir das Eintreffen eigener Vorhersagen - das „Recht haben" - als positive Emotion. Deshalb lieben wir z. B. Wetten, Roulette oder Spiele wie das Quizduell.

Wenn Sie Freitag den 13. auf der Seife ausrutschen, dann verstärkt dies Ihre Überzeugung, dass es sich um einen Unglückstag handelt. Wenn Ihnen allerdings den ganzen Tag nichts Negatives widerfährt, findet keine Verstärkung statt.

Wenn Sie offensiv die Auffassung vertreten, dass Sie Mathe nicht können, dann bestätigt Sie jedes Versagen darin. Sollten Sie dennoch eine gute Note erzielen, werden Sie dazu tendieren, dies dem Zufall oder glücklichen Umständen zuzuschreiben. Sonst hätten Sie ja – mit Ihrer Auffassung - Unrecht gehabt und wer will das schon?

So programmieren wir das Versagen sozusagen selbst. In der Psychologie spricht man in diesem Zusammenhang von der „sich-selbsterfüllenden-Prophezeiung" (self-fullfilling prophecy).

> *„Ob Du glaubst, dass Du etwas kannst*
> *oder ob Du glaubst, dass Du es nicht kannst:*
> *Du wirst in jedem Fall Recht behalten!"*
>
> *(Henry Ford)*

Ü28: Wo haben Sie in der Vergangenheit solche **„sich-selbst-erfüllenden Prophezeiungen"** formuliert?

ich kann Mathe nicht!

....

....

....

....

....

Erfolg ist lernbar!

Der Mensch wiederholt also das, was ihm Erfolg gebracht hat, und er unterlässt – in der Regel – Verhaltensweisen, die Misserfolg oder Sanktionen verursachen. Durch stetige Wiederholung entstehen schließlich Gewohnheiten!

Auch **Erfolg ist** - auf diese Weise bzw. auf diesem Weg - **lernbar**!

Am nachhaltigsten wird, wie gesagt, das gelernt, was mit starken emotionalen Eindrücken verbunden wird:

▷ Der Griff auf die heiße Herdplatte - Das Schmerzerleben wird mit dem Verhalten verknüpft und das Vermeideverhalten wird verstärkt.

▷ Ein Schüler lernt Vokabeln, damit er nicht bestraft oder bloßgestellt wird. Die Verknüpfung mit den Vokabeln betrifft also nur am Rande die Fremdsprache, aber aktiv das Vermeideverhalten.

▷ Der erste Kuss ... ein Erlebnis mit so viel positiven Emotionen, aktivierten Hormonsystemen etc., dass gleich alles Drumherum (Wetter, Gerüche, Licht ...) mit verknüpft wird.

Für unser Lernverhalten ist es also bedeutsam, belohnt zu werden und positive Gefühle zu erfahren.

> ### *Verstärken Sie alles Erwünschte durch BEACHTUNG und BELOHNUNG!*

▷ Schaffen Sie sich Lernrituale (z. B. eine Lerntee-Zeremonie), die Sie zu einer angenehmen Gewohnheit machen!

▷ Gönnen Sie sich nach den Lerneinheiten etwas! Meiden Sie Drogen, Alkohol etc. Kurzfristig wird Ihr Belohnungssystem zwar angeregt, langfristig geraten Sie aber in Abhängigkeit. Auch mit den Kalorien (z. B. Schokolade) sollten Sie achtsam umgehen.

▷ Feiern Sie Ihre Erfolge!

▷ Wählen Sie Lernmethoden, die Ihnen Spaß machen! In den folgenden Modulen stellen wir Ihnen einige vor.

▷ Lassen Sie keine Überforderung zu! Zerlegen Sie den Lernstoff in immer kleinere Einheiten, die Sie schließlich „mit Links" bewältigen können (SALAMI-Taktik).

▷ Versuchen Sie es einmal mit einer positiven Vorhersage!

▷ Fangen Sie mit dem ersten – kleinen – Schritt einfach an!

Ü29a: Welche Ideen haben Sie, um Ihr individuelles Lern-verhalten positiv zu verstärken?
Halten Sie Ihre Überlegungen fest!

ja, ich kann!

....

....

....

Ü29b: Was davon möchten Sie sofort umsetzen?

....

....

und das mach' ich!

2.3 Kognitives Lernen oder „Ich weiß, wie es geht ..."

Stellen Sie sich einen langen Zaun vor, ganz rechts ist eine offene Tür. In der Mitte befindet sich hinter dem Zaun ein Futternapf. Führen Sie einen Hund zum Futternapf, sodass der Zaun zwischen Hund und Napf liegt, und beobachten Sie, was geschieht. Der Hund wird entweder versuchen den Zaun zu untergraben, oder aber hin und her laufen, bis er (durch Zufall) die Tür findet.

Dieses Verhalten nennt man „Lernen durch Versuch und Irrtum". Es ist eine Form des Lernens am Erfolg.

Bereits ein Schimpanse ist aber fähig, das Problem anders zu lösen. Menschen ab einem bestimmten Alter können es ebenfalls.

Ein Mensch entfernt sich vom Zaun (für den Hund im wahrsten Sinne des Wortes undenkbar), verschafft sich die Übersicht und geht zielgerichtet zur Tür.

An diesem Beispiel werden mehrere Fähigkeiten deutlich:

> ▷ Verzicht auf eine unmittelbare Belohnung.

> ▷ Ursache und Wirkung werden analysiert: Wenn … dann!

> ▷ Versuch und Irrtum werden durch vorausschauendes Handeln ersetzt. Möglicherweise werden Alternativen erwogen.

> ▷ Die erworbene Strategie kann auch in anderen Zusammenhängen verwendet werden.

Im Gegensatz zu den bisher betrachteten Lernformen, die eher unbewusst erfolgen, haben wir es hier mit Prozessen zu tun, die bewusst gesteuert werden. Man spricht von „kognitiven Lernprozessen". Dazu gehören auch die Fähigkeiten Muster zu entdecken, Einzelheiten zuzuordnen, Gemeinsamkeiten zu erkennen und Regeln zu entwickeln. Lebewesen, die auf Basis dieser Fähigkeiten vorausschauend handeln, sind fähig kognitiv zu lernen.

Das Gehirn des Menschen ist im Prinzip eine „Regel-finde-Maschine" (vgl. SPITZER 2002, S. 75). Am besten lässt sich dies am Erwerb der Muttersprache erkennen. Das kindliche Gehirn extrahiert aus den Spracherfahrungen, die es macht, alle notwendigen Regeln, um die Sprache erfolgreich zu verwenden. Keiner von uns hat zum Erwerb der Muttersprache jemals Grammatik erlernen müssen.

Herauszufinden, wie es geht, die Regeln zu entdecken, macht Menschen Spaß und befriedigt die Neugier-Motivation. Diese Fähigkeiten bringen wir von Geburt an mit und müssen sie lediglich auf neue Probleme anwenden.

In der komplexen menschlichen Gesellschaft spielt das kognitive Lernen eine zentrale Rolle. Besonders wichtig ist dabei, dass die Lern- und Entwicklungsprozesse so vielschichtig und zeitintensiv sind, dass die Belohnung u. U. erst sehr viel später erfolgt. Manchmal verlieren wir dann das Ziel und die Belohnung aus den Augen und es fällt uns schwer, an den Erfolg zu glauben.

Daher gilt: Lernen Sie lernen!

„Lassen Sie keine Überforderung zu! Zerlegen Sie den Lernstoff in immer kleinere Einheiten, die Sie schließlich „mit Links" bewältigen können (SALAMI-Taktik)."

Diesen Satz lesen Sie jetzt zum dritten Mal, denn alle Lernformen, mit denen Sie sich gerade beschäftigt haben, basieren darauf, dass wir erfolgreiches Lernen als Gefühl der Zufriedenheit erleben. Umgekehrt macht uns das Scheitern unzufrieden. Je größer die Schritte sind, die wir uns zumuten, desto wahrscheinlicher ist es, dass wir scheitern, besonders dann, wenn wir noch ungeübt und unerfahren sind.

Halten Sie es also mit dem berühmten Philosophen RENÉ DESCARTES (1596-1650), dem die Formulierung der „SALAMI-Taktik" zugeschrieben wurde, und zerlegen Sie große Ziele in viele kleine Einheiten. Je erfahrener und routinierter Sie werden, desto größer dürfen die Häppchen sein. Dabei ist auch die Frage nach der Reihenfolge, in der Sie Ihre Ziele und Teilziele abarbeiten, von Bedeutung. In Modul 8 erfahren Sie dazu mehr: nämlich über das Setzen von Prioritäten.

Ü30: Blättern Sie zurück und denken Sie in Ruhe nach:
Welche Tipps und Tricks zum besseren Lernen wollen Sie in Zu-
kunft berücksichtigen?

die merk'
ich mir!

1) ....

2) ....

3) ....

4) ....

5) ....

6) ....

7) ....

Notiz-Plakat

Für eine bessere Verankerung nehmen Sie sich Zeit und wandeln Sie Ihre Notizen in ein individuell-optimales Poster um! Gestalten Sie das Poster so, dass es Sie anspricht und Ihnen richtig gut gefällt.

Modul-Rückblick durch die Brille Ihrer Lern-Persönlichkeit

Ziel dieses Moduls ist es, Sie mit drei ausgewählten Lernformen vertraut zu machen und Sie dazu anzuregen, Ihre individuellen Erfahrungen und Ziele zu formulieren.

Man kann nicht „nicht-lernen"!

Unser Gehirn ist darauf programmiert, Erfahrungen zu sammeln und zu verarbeiten. Oft wird uns das gar nicht bewusst, es bestimmt aber unsere Einstellungen und Haltungen, auch zum Lernen selbst.

Es ist eine besondere Fähigkeit des Menschen, Erfahrungen kognitiv, also ganz bewusst, zu verarbeiten.

Dieses „kognitive Lernen" erschließt nicht nur komplexe Prozesse, sondern ermöglicht es uns auch, alle Lernprozesse gedanklich zu strukturieren und zu beeinflussen.

Lernerfolg liegt also in Ihrer Hand ...

Organisieren Sie Ihr Lernen neu!

Im nächsten Modul erfahren Sie, dass Sie ein Supernetzwerk mit sich herumtragen, das Ihnen dabei hilft, auch schwierige Probleme effektiv und effizient zu lösen.

Bevor Sie aber zum nächsten Modul gehen, **ziehen Sie bitte jetzt Ihre „Lern-Persönlichkeits-Brille" auf!**

Betrachten Sie die Informationen des Moduls Lernpsychologie noch einmal im Hinblick auf Ihre Lern-Persönlichkeit.

Helfen kann Ihnen dabei ein erneuter Blick auf das Ergebnis Ihrer Selbstanalyse.

Gehen Sie nun zu den Übungen dieses Moduls zurück und überlegen Sie jeweils, inwieweit Ihre dort formulierten Einträge mit Ihrer Lern-Persönlichkeit (mehr extrovertiert oder introvertiert, eher sachorientiert oder personenorientiert) in Zusammenhang stehen.

Überdenken Sie insbesondere Ihre 7 Tipps und Tricks zum besseren Lernen, die Sie in der letzten Übung formuliert haben!

Hier ist Platz für Ihre Notizen zum Modul – gerne auch als Mind Map:

Modul 3: Gehirngerechtes Lernen

„Das größte Vermögen, das sie je besitzen können,
liegt zwischen ihren Ohren. Es ist praktischerweise tragbar,
sehr anpassungsfähig, nahezu unbegrenzt veränderbar
und ausbaufähig – wenn man nur weiß, wie man es macht."

(Brian Tracy)

Das Gehirn ist (...) das anpassungsfähigste Organ des Menschen
und zugleich das komplexeste Gebilde des Universums.

(Herbert Beck)

In diesem Modul erfahren Sie, dass Sie über ein gigantisches Supernetzwerk verfügen, das Ihnen helfen kann viele schwierige Situationen zu meistern. Mithilfe Ihres Gehirns können Sie Stresssituationen bewältigen, sich besser konzentrieren lernen und am eigenen Leib erfahren, wie Informationen in Ihrem Gehirn hin und her wandern! Sie können lernen, unter welchen Bedingungen Sie Spaß und Freude am Lernen entdecken.

Ü31 Schätzen Sie und kreuzen Sie an:

1) Wie schwer ist ein menschliches Gehirn?

☐ 300-400 Gramm

☐ 1100-1500 Gramm

☐ > 1500 Gramm

ich schätz' einfach mal

2) Wie viel Prozent unseres täglichen Energieumsatzes benötigt unser Gehirn?

☐ 10% des gesamten Energieumsatzes

☐ 20% des gesamten Energieumsatzes

☐ 80% des gesamten Energieumsatzes

3) Die Anzahl der Nervenzellen im Gehirn beträgt etwa...

☐ 5-10 Millionen

☐ 5-10 Milliarden

☐ 50- 80 Milliarden

4) Jede Nervenzelle im Gehirn steht mit anderen Nervenzellen durch ihre sogenannten Synapsen im Austausch. Wie viele Synapsen besitzt eine Nervenzelle im Durchschnitt?

☐ 100

☐ 1.000

☐ 10.000

Das menschliche Gehirn hat ein Gewicht von ca. 1.100 bis 1.500 Gramm. Die Masse des Gehirns steht in keinem direkten Zusammenhang zu seiner Leistungsfähigkeit. Obwohl Männer im Durchschnitt 10 % mehr Hirnmasse haben, können sie damit auch nicht mehr anfangen als Frauen. Das Gehirn von Albert Einstein z. B. war mit 1230 g relativ leicht.

Das menschliche Gehirn verbraucht etwa 20 % der gesamten Energie, die ein Mensch täglich benötigt.

Die etwa 50-100 Milliarden Nervenzellen sind durchschnittlich mit 10.000 Synapsen (Verbindungen zwischen den Nervenzellen) pro Nervenzelle vernetzt. Daraus ergeben sich ca. 200 Billionen Verknüpfungen.

Wenn sich die mehr als 7 Milliarden Menschen auf unserem Planeten so vernetzen wollten, dann müsste jeder etwa 100.000 Freunde in seinem sozialen Netzwerk, z. B. bei Facebook, haben. Eine unfassbar große Zahl!

Ausgerüstet mit diesem Supernetz sind Sie jeder Herausforderung gewachsen!

3.1 Stress und Stressbewältigung

„Wenn das Gehirn den Stress besiegt ..."

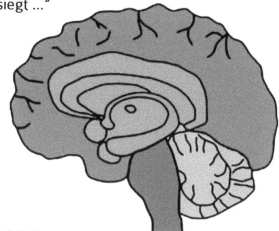

Blau: Mit dem Denk-Hirn (= Großhirn) bewältigen Sie schwierige und knifflige Aufgaben. Dieser Bereich ist für die meisten kognitiven Prozesse verantwortlich. Dazu zählen auch die Bereiche der Motivation, die uns bewusst sind. Im vorderen Bereich sitzt das Stirnhirn, auch präfrontaler Kortex oder Frontallappen genannt. Hier sind Fähigkeiten wie die Steuerung von Arbeitsgedächtnis und geistiger Flexibilität untergebracht, außerdem die Impulskontrol-

Abbildung 6: Übersicht Gehirn

le zur Aufmerksamkeitssteuerung. Gerade diese Funktionen sind für bewusste kognitive Lernprozesse wichtig.

Orange: Für das Lernen sind Gefühle und Emotionen von zentraler Bedeutung. An diesen Prozessen sind mehrere Hirnbereiche beteiligt, die wir hier vereinfacht als *„Gefühls-Hirn"*, im Fachjargon „Limbisches System" genannt, zusammenfassen. Das limbische System ist sehr stark an den uns nicht bewussten Aspekten der Motivation beteiligt.

Grün: Das Kleinhirn ist maßgeblich daran beteiligt, die „große Linie", die der Kortex ausarbeitet, in perfektionierte Bewegungsabläufe umzusetzen und damit kognitives Lernen im Körpergedächtnis zu verankern. Außerdem wissen wir heute, dass vor allem neue und ungewohnte Bewegungen auf die Neubildung von Hirnzellen (Neurogenese) entscheidenden Einfluss haben. Dieser Prozess kann die Leistungsfähigkeit unseres Gehirns entscheidend verbessern.

Grau: Das Stammhirn ist der stammesgeschichtlich älteste Teil unseres Gehirns. Man könnte sagen, dass das Stammhirn nur zwei Reaktionen kennt: Angriff oder Flucht.

71

In beiden Fällen werden Hormone als Botenstoffe freigesetzt, die im Ernst-fall Kampf- und Fluchtbereitschaft vorbereiten. Dieser Teil des Gehirns ist sozusagen unser persönlicher Bodyguard.

Wenn unser *„Bodyguard"* in Aktion tritt, spüren wir dies sofort. Der Puls steigt, der Blutdruck ebenfalls. Die äußeren Blutgefäße werden verkleinert (um Blutverlust bei Verletzungen zu reduzieren). Im Extremfall leidet die Versorgung des Großhirns. Dies bezeichnen wir dann als „Black out" oder wir fühlen uns wie „in Watte gepackt".

Derartiges Erleben nennen wir oft Stress. Wir drücken das so aus: „Ich hab keine Zeit, ich bin gestresst!" „Stress mich nicht ..."

Man unterscheidet in der Stressforschung zwischen *Eustress* („eu" griech. „gut") und *Disstress* („dys" griech. „schlecht").

Eustress fördert unsere Aufmerksamkeit, lässt uns aktiv an unserer Umwelt Anteil nehmen und spornt unsere Leistungsfähigkeit an. Wenn wir solche Situationen bewältigt haben, fühlen wir uns stark und zufrieden. Für diese Reaktionen ist unser „Gefühlshirn", das limbische System, verantwortlich.

Disstress hingegen blockiert unsere Denkprozesse und wirkt sich – sofern er andauert – extrem gesundheitsgefährdend aus!

Stress ist ressourcenabhängig. Stellen Sie sich vor, dass Sie sich bei einem Spaziergang verletzen und sehr stark bluten: eine Stress-Situation. Stellen Sie sich die Situation vor, wenn Sie ein Verbandspäckchen dabei haben. Die Stress-Situation ist dieselbe, das Stress-Erleben aber ist ein anderes.

Wichtig ist: Stressreaktionen sind eine natürliche und normale Reaktion Ihres Gehirns. Vereinfacht: Der „Bodyguard" in Ihrem Kopf beschützt Sie. Normalerweise steuert das limbische System Ihre Emotionen, es weckt Ihre Aufmerksamkeit für Neues und Interessantes und lenkt Ihre Konzentration. Ohne Aufmerksamkeit, Konzentration und emotionale Beteiligung kann Ihr „Denk-Hirn" aber nur noch sehr begrenzt funktionieren. Dazu kommt, dass in Stresssituationen alle wichtigen Energiereserven dem „Bodyguard" zur Verfügung gestellt werden. Denkprozesse sind dann auf Sparflamme geschaltet.

Aber wir können lernen mit Stress umzugehen, geeignete Ressourcen zu nutzen und schließlich den Stress zu bewältigen. Dies ist eine aktive Leistung unseres „Denk-Hirns", die selbst dann noch funktioniert, wenn wir uns in extremen Situationen befinden. Dabei ist das entscheidende Ziel, eine Balance zwischen Anspannung und Entspannung zu erreichen.

Ü32: Notieren Sie, wann Sie sich gestresst fühlen.

....

....

....

das stresst mich!

Mit Entspannung gegen den Stress

In der Literatur wird oft unterschieden zwischen Entspannungsmöglichkeiten, die eher passiv geprägt sind und Entspannungsmethoden, die unsere Aktivität erfordern. Sollten Sie sich beim Ausprobieren der nachstehenden Möglichkeiten und Methoden unwohl fühlen, brechen Sie die Übung einfach ab und beraten Sie sich mit einem Arzt.

3.1.1 Entspannungsmöglichkeiten

Entspannen – einfach so

Schon relativ einfache Maßnahmen können Ihnen helfen entspannter und gelassener an die täglichen Herausforderungen heranzugehen: Musik hören, Lesen, Spazieren gehen, Baden oder Sport treiben. Der Teampsychologe der deutschen Fußballnationalmannschaft, HANS-DIETER HERMANN, benennt z. B. auch ausreichenden Schlaf als eine der wichtigsten passiven Methoden zur Stressbekämpfung.

Gönnen Sie sich also Ihr „Nickerchen", nehmen Sie ein ausgiebiges Bad oder tollen Sie mit dem Hund ... es fördert Ihre Entspannung!

Weitere Möglichkeiten:

Achten Sie auf das Kommen und Gehen des eigenen Atems, ohne ihn kontrollieren zu wollen. Sie können spüren, wie sich Atmung und Puls beruhigen.

Oder aber, wenn Sie den Körper spürend durchwandern, so führt die Lenkung der Aufmerksamkeit auf die Körperempfindung zur Entspannung.

Bedecken Sie Ihre Augen mit den Innenflächen der Hände.

Das wirkt entspannend, besonders bei überanstrengten Augen.

*da entspann'
ich mal*

Ü33: Notieren Sie hier Ihre Entspannungsfavoriten:

....

....

....

Entspannen mit Musik

Die meisten Menschen sind davon überzeugt, dass Musik beim Entspannen hilft. Erstaunlicherweise können aber selbst Musikexperten nicht genau sagen, wann welche Musik zur Entspannung beiträgt. Es ist offensichtlich, dass die gleiche Musik je nach Situation zur Anspannung oder zur Entspannung führt: „Entspannung hängt nicht von der Musik ab, sondern davon, ob sie mir in der Situation gefällt oder nicht." (GEMBRIS 2006, S. 28)

Empfehlungen, die ausschließlich langsame Musik zur Entspannung vorschlagen, müssen nach neuesten Erkenntnissen als fragwürdig gelten. Sicher ist aber, dass Musik als entspannend empfunden wird, wenn sie im Einklang mit unserer Stimmung steht.

Schnelle Musik hilft dabei, sich „abzureagieren", wenn wir in Hochstimmung sind. Bewegung zur Musik fördert dies.

Langsame Musik unterstützt uns, wenn wir abgespannt sind und Ruhe finden möchten. Hören Sie probehalber in Musikstücke hinein, die Sie unterstützen, wenn Sie müde sind und entspannen wollen.

Suchen Sie sich unter den Online-Hörproben der gängigen Anbieter etwas heraus, was Sie entspannt.

Ü34: Musik, die ich mag, wenn ich angespannt bin:

....

....

....

Musik, die ich mag, wenn ich müde bin und entspannen möchte:

....

....

....

das klingt gut

Entspannen mit Düften

Jeder kennt das: Düfte üben eine starke Wirkung auf uns aus und wecken Emotionen. Denken Sie an den Duft in der Vorweihnachtszeit oder den sommerlichen Duft von Pinien.

Die Aromatherapie, ein Bestandteil der Phytotherapie, schreibt Düften eine heilsame Wirkung zu:

Duft	Wirkung
Rosenholz, Lavendel	Beruhigung, Entspannung, gegen Schlafstörungen
Salbei, Thymian, Rosmarin	Konzentration, Durchhaltevermögen
Zeder, Zypresse	Ruhe, Konzentration
Zitronengras, Zitrone, Minze	Aktivierung, Klarheit, Wachheit

Wenige Tropfen auf einem Taschentuch genügen. Verwenden Sie 100% naturreine ätherische Öle und lassen Sie sich vor der Anwendung immer von ihrem Arzt oder einem Apotheker beraten. Bitte bedenken Sie, dass ätherische Öle starke Allergene sein können. Da ätherische Öle Haut und Schleimhaut reizen, dürfen sie nur verdünnt angewendet werden. Auch in der Schwangerschaft müssen Sie die Öle meiden. Verwenden Sie die Öle niemals ohne ärztlichen Rat zur innerlichen Anwendung.

Stöbern Sie, z. B. im Bio-Laden nach entspannenden Düften (auch Entspannungsbäder tun gut).

3.1.2 Entspannungsmethoden

Wer regelmäßig Autogenes Training, Yoga oder andere Entspannungsmethoden, z. B. Mental-Training, anwendet, findet innere Ruhe und kann bei Bedarf schnell und gezielt entspannen.

Wenn Sie häufig unter Stress- oder Angstreaktionen (z. B. in Prüfungssituationen) leiden, sollten Sie darüber nachdenken, eine der drei folgenden Methoden zu erproben.

1. *Fantasiereisen*: Bei Fantasiereisen stellt man sich bestimmte Orte vor, die mit Ruhe und Entspannung verbunden sind. Dabei ist es wichtig, möglichst alle Sinne mit einzubeziehen, damit die Vorstellung so konkret und lebendig wie möglich wird. (vgl. FALLER, LANG 2006, S. 211)

2. *Autogenes Training (AT) nach SCHULZ*: Über Gedanken wird der Körper beeinflusst: Wärme-/ Schwere-Gefühle, Veränderung des Pulsschlags. Autogenes Training kann bei Fortgeschrittenen mit formelhaften Vorsätzen - Auto-Suggestion - verbunden werden.

3. *Progressive Muskelentspannung nach JACOBSEN:* Nacheinander werden die Muskelpartien des Körpers willentlich stark angespannt, um sich anschließend besonders gut zu entspannen (physiologische Reaktion: auf maximale Anspannung folgt maximale Entspannung).

Viele dieser Methoden können Sie u. a. an einer Volkshochschule oder in Fitnessanlagen erlernen. Auch Krankenkassen bieten solche Kurse an und tragen oft sogar die Kosten. Übungen und Beispiele finden Sie aber auch z. B. bei YouTube.

Jede Entspannungsmethode umfasst drei Schritte:

1. Die Distanzierungsphase

Suchen Sie sich einen ruhigen Platz und sorgen Sie dafür, dass Nichts und niemand Sie in den nächsten Minuten stören wird. Lassen Sie los und gewinnen Sie langsam Abstand zu den Ereignissen, die Sie beschäftigen.

2. Die Regenerationsphase

Nun beginnt die eigentliche Übung. Sie können sich z. B. eine Fantasiereise anhören oder Übungen durchführen, die Sie in einem Kurs gelernt haben.

3. Die Orientierungsphase

Am Ende der Regenerationsphase bereiten Sie sich darauf vor, wieder zurück in den Alltag zu finden. Lassen Sie sich wieder auf alles ein, was Ihnen Ihre Sinne mitteilen, spannen Sie langsam und vorsichtig ihre Muskulatur an und bereiten Sie sich emotional auf das Kommende vor.

Üben Sie solche Methoden nicht nur im Liegen, sondern auch im Sitzen. Dann können Sie sie auch in Prüfungssituationen anwenden!

Achten Sie darauf, dass Sie gerade auf dem Stuhl sitzen, dabei dürfen Sie sich gerne etwas zurücklehnen. Setzen Sie beide Füße locker auf den Boden und etwa beckenbreit auseinander. So kann das Blut frei zirkulieren. Wenn es Ihnen ungemütlich wird, dürfen Sie gerne ein wenig herumrutschen.

3.2 Konzentration

*Ü35: Zählen Sie, wie oft im folgenden Text der Buchstabe „**F**"*
vorkommt:

FINISHED FILES ARE THE RESULT
OF YEARS OF SCIENTIFIC STUDIES
COMBINED WITH
THE EXPERIENCE OF YEARS.

(NACH W. REICHEL)

Tragen Sie hier ein, wie viele „F" Sie gezählt haben: ....

Wenn Sie bei der o. g. Zählaufgabe weniger als sechs „F" gezählt haben, dann ist das normal. Sie haben mit hoher Wahrscheinlichkeit ein oder mehrere „F" überlesen. Insgesamt beinhaltet der englische Text sechs „F".

Das Zählen von Buchstaben in einem Text zählt zu den kognitiv eher einfachen und langweiligen Aufgaben. Deshalb arbeitet unser Gehirn weniger aufmerksam und konzentriert. Es entstehen leicht Fehler – die typischen Flüchtigkeitsfehler.

Suchen Sie daher in Ihrem Lernstoff außergewöhnliche
Aspekte, die Ihr Interesse anregen.
So können Sie sich Lernstoff besser merken,
der zwar nicht wirklich spannend, für eine Prüfung
aber relevant ist.

Unter **Konzentration** versteht man – im psychologischen Sinne – die Fähigkeit eines Menschen, seine Aufmerksamkeit aktiv und andauernd einer Aufgabe, einem Ziel oder einer Tätigkeit zuzuwenden.

Manchmal liegen dem Konzentrationsmangel unbefriedigte physiologische Bedürfnisse zugrunde, z. B. Zuckermangel, Flüssigkeits- oder Schlafmangel.

Andere Konzentrationsblockaden können mit Motivationsfaktoren zusammenhängen (Mangel an Interesse, Aufschieben, negative Einstellungen, geringe Frustrationstoleranz), sie können auf mangelnde Selbstorganisation zurückgeführt werden (Mangel an Übung, Ablenkung, Unklarheit des Plans) oder den Umgang mit sich selbst betreffen (Überlastung, ungelöste emotionale Probleme). Um solche Blockaden aufzulösen, kann es hilfreich sein, Hilfe in Anspruch zu nehmen, und das möglichst frühzeitig.

Grundlegend wichtig, um entspannt und konzentriert arbeiten zu können, ist in jedem Fall, dass Sie sich ausreichend Ruhephasen gönnen.

Eine beliebte Falle, in die viele Menschen tappen, ist der Gedanke, dass Sie mehr „schaffen", wenn Sie die Zahl und Dauer der Pausen reduzieren. Dies ist ein Trugschluss.

Pausen und Ruhephasen zahlen sich mehrfach aus:

▷ **Pausen** sind geistige Erholung!

▷ **Pausen** dienen der körperlichen Erholung!

▷ **Pausen** dienen dem Verknüpfen und Vertiefen!

▷ **Pausen** erhöhen die Arbeitsleistung!

In der Praxis haben sich die nachstehenden Pausenzeiten bewährt:

▷ **Speicherpause (am Lernplatz):** *10-20 Sekunden*

nach jedem Begriff, nach Definitionen, Formeln etc.

▷ **Umschaltpause (am Lernplatz):** *3-5 Minuten*

nach jeder Lerneinheit. Strukturieren Sie den Lernstoff derart, dass jede Lerneinheit möglichst 20-30 Minuten in Anspruch nimmt. Trinken Sie etwas, strecken und recken Sie sich ...

▷ **Entspannungspause:** *15-20 Minuten*

nach ca. 90 Anspannungsminuten. Verlassen Sie Ihren Lernplatz! Machen Sie ein wenig Gymnastik oder eine kurze Entspannungsübung. Essen Sie evtl. eine Kleinigkeit.

▷ **Erholungspause**: *1-3 Stunden*

nach 3,5 - 4 Stunden Lernzeit inkl. bisheriger Pausen.
Tun Sie etwas völlig anderes, schalten Sie ganz ab.

▷ **Nachtruhe**: *8 Stunden*

Während des Schlafes verarbeitet das Gehirn aufgenommene
Lernerfahrungen. Es ist daher sehr wichtig, unserem Gehirn
genügend Schlaf zu gönnen.

Großmutters guter Rat „Leg Dir das Buch unters Kopfkissen"

hat hier seine Wurzeln.

*mein
Stundenplan*

Ü36: Entwerfen Sie mithilfe der obigen Information einen Plan
für einen vierstündigen Lernblock!
(Speicherpausen brauchen Sie nicht extra auszuweisen.)

Arbeitsphase	Dauer	Pausenart	Dauer

Achten Sie darauf, ...

▷ Ihre physiologischen Bedürfnisse zu befriedigen,

▷ Ihre Selbstorganisation zu verbessern,

▷ Ihre Motivation zu steigern,

▷ und sich eine angenehme, für Sie gesunde Lernsituation
zu schaffen.

80

Ü37: Überlegen Sie jetzt einmal, wie Ihr typischer Schultag aussieht bzw. ausgesehen hat.

Tragen Sie die Unterrichts- und Pausenzeiten ein.

Entsprechen die Pausenzeiten den lernpsychologischen Erkenntnissen?

Sehen Sie Umschalt-, Entspannungs- und Erholungspausen?

Standard-Stundenplan

Zeit (von … bis)	
	Unterricht
	Pause
	Unterricht
	Pause
	Unterricht
	Pause
	Unterricht
	Pause
	Unterricht
	Pause
	Unterricht

3.3 Zwei „Hemisphären" – ein Supernetzwerk

Untersucht man das Gehirn des Menschen mit bildgebenden Verfahren (z. B. der Positronen-Emissions-Tomografie = PET), während die Personen Aufgaben lösen, so zeigt sich, dass es unterschiedliche Zentren im Gehirn gibt, die je nach Aufgabe unterschiedlich aktiv sind.

Dementsprechend kann man eine Art Plan des Gehirns anfertigen. Auffällig dabei ist, dass die beiden Hirnhälften (Hemisphären) unterschiedliche Aufgaben wahrnehmen. Beide Hirnhälften sind über den sog. Balken verbunden und tauschen über diesen ununterbrochen Informationen aus.

Während die linke Hirnhälfte bei den meisten Menschen ihren Aktivitätsschwerpunkt bei logischen, analytischen, abstrakten und verbalen Aufgaben zeigt, wird die rechte Hirnhälfte aktiver, wenn die Aufgaben ganzheitliches Denken verlangen, wenn Fantasie, Paradoxie (unauflösbare Widersprüche) und vor allem non-verbale Prozesse ablaufen.

Linke Gehirnhälfte	Rechte Gehirnhälfte
• Sprache und Zahlen (verbal)	• Gestik, Mimik, Tonfall (nonverbal)
• detailliert, genau	• ganzheitlich, Übersicht
• logisches Denken	• intuitiv
• Symbole (abstrakt)	• Bilder (konkret)
• Ordnung und Struktur	• Fantasie, Paradoxie

Menschen tendieren dazu, bestimmte Fähigkeiten gegenüber anderen zu bevorzugen. Sie bevorzugen z. B. eine Hand, obwohl Sie (mit Übung) die Aufgaben auch mit der anderen Hand bewältigen könnten.

komm, zeichne mir ein Haus!

Ü38: Für diese Übung brauchen Sie einen Partner, jeweils ein Blatt Papier und einen Stift. Setzen Sie sich Rücken an Rücken. Jeder zeichnet nun ein Haus nach seinen Vorstellungen (bitte einfach halten).

Anschließend erläutert ein Partner dem anderen das Aussehen seines Hauses, sodass dieser es zeichnen kann.

Jeder Partner zeigt dem anderen seine Zeichnung! Tauschen Sie Ihre Erfahrungen aus.

Sehen Sie einen Bezug zur Hemisphärentheorie?

Heute sind derartige Modelle nicht unumstritten. Insbesondere eine Einteilung von Menschen in Rechts- bzw. Links-„Hirner" vereinfacht die Realität zu stark.

Tatsächlich arbeitet immer unser gesamtes Gehirn, mit beiden Hemisphären. Entscheidend ist, dass möglichst viele Verknüpfungen zwischen den einzelnen Gehirnarealen entstehen. Dadurch wird es z. B. leichter, Gedächtnisinhalte zu aktivieren.

Ü39: Sie haben in Modul 2 einen Assoziationstest gemacht (Ü23). Tragen Sie jetzt mit Hilfe Ihrer Assoziationen in die Spalte „Erinnert" die Begriffe ein.

Prüfen Sie nun, an wie viele Begriffe Sie sich erinnern können!

Danach können Sie in Modul 2 noch einmal nachschlagen, wie hoch Ihre Schätzung war.

mein Assozia-tionstest

In unseren Präsenzseminaren liegt der Durchschnitt der richtig erinnerten Begriffe zwischen 27 und 30! Dabei kommt es weniger darauf an, dass genau der richtige Begriff erinnert wird. Statt „Fahrstuhl" kann etwa auch der Begriff „Aufzug" angegeben werden.

Das Ergebnis der Übungen zeigt, dass nicht nur die Informationen der beiden Hirnhälften eng miteinander verbunden sind, sondern alle Gedächtnisinhalte und Emotionen über umfangreiche neuronale Netze miteinander verknüpft sind. Oft genügt es schon, eine einzige Assoziation als Anstoß zu einem gesuchten Gedächtnisinhalt zu finden, und schon sind alle anderen Aspekte, die mit der Assoziation verknüpft sind, greifbar.

Diese Erkenntnis werden wir in den folgenden Moduln nutzen, um Gedächtnisinhalte besser abrufbar zu machen.

Um zu verstehen, wie dieses Supernetzwerk zustande kommt und wie es funktioniert, schauen wir noch einmal in unser Gehirn, das Sie ja schon recht gut kennen.

Bereits vor unserer Geburt besitzen wir eine unfassbar große Zahl an Nervenzellen oder Neuronen. Diese 50-100 Milliarden Nervenzellen bilden zunächst ein lockeres Netzwerk, in dem eine Nervenzelle mit ca. 1.000 bis 10.000 anderen durch Synapsen verbunden ist.

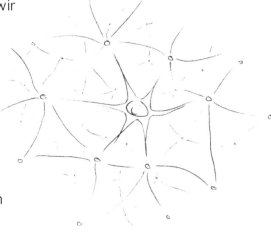

In unseren ersten Lebensmonaten beginnen wir jene Synapsen zu festigen und auszubauen, deren Nervenzellen gemeinsam aktiv sind.

Bewegt ein Embryo im Mutterleib seinen Arm, so sind alle Nervenzellen aktiv, die an der Bewegung beteiligt sind. Berührt der Embryo dabei den Körper seiner Mutter, so werden zusätzlich alle Nervenzellen aktiv, die durch Berührungssensoren in der Haut aktiviert wurden. Synapsen zwischen Nervenzellen, die gemeinsam aktiviert wurden, werden gefestigt. Die Neurobiologen sagen *„Neurons that fire together wire together"*. Dieser Vorgang wiederholt sich bei jeder Nutzung, jeder Aktivierung, sodass diese Synapsen immer besser gefestigt werden und auch die Übertragungsgeschwindigkeit zunimmt. Der Embryo lernt seine Aktivität mit einer neuen Information zu verknüpfen. Bis etwa zum dritten Lebensjahr nimmt die Anzahl der Synapsen rasant zu.

Erinnern Sie sich? Sie können nicht „nicht-lernen".

Ihr Gehirn verarbeitet ununterbrochen Informationen und vernetzt die Nervenzellen untereinander, die gerade aktiv sind. Synapsen und Nervenzellen, die nicht verwendet werden, werden abgebaut. Man schätzt, dass bis zum Erwachsenenalter etwa 1/3 aller Neuronen und die Hälfte aller Synapsen wieder abgebaut werden. Aus der Überzahl an neuronalen Verbindungen entsteht so im Laufe unseres Lebens ein strukturiertes, sehr individuelles Netzwerk in Abhängigkeit von Nutzung und Erfahrung des Gehirnbesitzers.

Das **Limbische System** ist die zentrale emotionale Bewertungsinstanz unseres Gehirns. Auch unser Aufmerksamkeitszentrum liegt dort. Über lange Nervenfortsätze steht das limbische System mit einer Vielzahl anderer Hirnregionen in direkter Verbindung.

Wenn wir uns für etwas begeistern, wenn etwas unsere ganze Aufmerksamkeit bindet, dann werden unter Mitwirkung des Limbischen Systems chemische Botenstoffe (sog. Neurotransmitter) frei, die die aktivierten Nervenzellen anregen ihre synaptische Verbindung zu vertiefen. Die Synapsen werden größer und ihre Übertragungsgeschwindigkeit wächst.

Es gelingt uns immer besser mit dem Erlernten umzugehen, und dieses *Wachstum* erleben wir als Freude und Spaß an unserer Tätigkeit, denn es erfüllt unser Bedürfnis nach Selbstachtung und Selbst-Verwirklichung.

MIHALY CSIKSZENTMIHALYI (gesprochen: Mihai Tschiksentmihai) ist emeritierter Professor für Psychologie und Unternehmensführung an der Claremont University in den Vereinigten Staaten. Bei seinen Studien stieß der Wissenschaftler auf einen Zustand, in dem Menschen völlig in Ihren Aufgaben aufgehen. Diesen Zustand nennt CSIKSZENTMIHALYI „Flow".

Ein Flow-Erlebnis ist individuell unterschiedlich. Unser limbisches System erlebt diesen Zustand mit „heiterer Gelassenheit" bis hin zur Ekstase. Alle persönlichen Sorgen und Begrenzungen scheinen in diesen Augenblicken bedeutungslos zu sein. Wir erleben ein beglückendes Gefühl des Zustandes völliger Konzentration. Eine Tätigkeit empfinden wir dann als machbar und wir wissen, unbewusst (!), wie eine Aufgabe zu lösen ist.

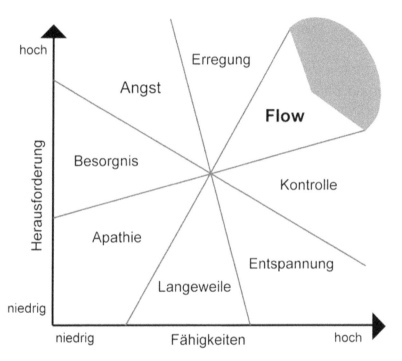

Abbildung 7: FLOW-Effekt; mit frdl. Genehmigung durch M. CSIKSZENTMIHALYI 2013

Flow entsteht dann, wenn die Herausforderungen für die vorhandenen Fähigkeiten nicht zu groß und nicht zu klein sind, also weder Unter- noch Überforderungen darstellen, und wenn die eigenen Fähigkeiten zu den Herausforderungen passen. Also:

Begeistern Sie sich – für etwas!

85

im Flow

Ü40: Können Sie sich an ein Flow-Erlebnis erinnern?
Gibt es etwas, für das Sie sich in der Vergangenheit derart begeistern konnten, dass Sie alles um sich herum vergaßen? Notieren Sie hier solche Erlebnisse!

....

....

....

Nichts macht auf Dauer Spaß und Freude, wenn wir es nicht mit anderen Menschen teilen können. Wir wünschen uns Beachtung, Zuwendung und Anerkennung – also **soziale Resonanz**, die unser Bedürfnis nach Nähe und Verbundenheit befriedigt. Soziale Resonanz schaltet in unserem Gehirn das körpereigene „Belohnungssystem" ein. Dieser Mix aus Hormonen und Neurotransmittern bewirkt nicht nur ein Glücksgefühl und eine engere Bindung an Mitmenschen, sondern hat direkt Auswirkung auf die Vertiefung des gerade aktiven neuronalen Netzwerkes. Das Lernen wird also nachhaltig gefördert.

Gähnen und Lachen stecken an, das haben Sie sicher schon einmal erlebt. Verantwortlich für diese Reaktion sind wahrscheinlich die sogenannten Spiegelneuronen. Spiegelneuronen sind spezialisierte Nervenzellen. Wenn wir etwas beobachten, was andere tun, dann werden diese Netze in der gleichen Weise aktiv, als ob wir es selbst tun würden.
Dies erklärt, warum wir so gut durch Nachahmung lernen können. Es erklärt auch, warum wir nicht alles selbst tun müssen. Wenn wir beobachten konnten, wie es ein anderer tut, so haben unsere Spiegelneuronen schon einen Anfang für das eigene Tun bereitet.

Unsere Fähigkeit, uns in andere Menschen hineinzuversetzen (Empathie) wird ebenfalls auf die Aktivität der Spiegelneuronen zurückgeführt.

> Begeistern Sie sich - und andere!
> Und „wichtigwichtig": Lassen Sie sich begeistern!

Die Bedeutung sozialer Resonanz betrifft uns im Besonderen, wenn wir uns mit anderen Menschen austauschen und mit ihnen kommunizieren. Machen Sie sich klar, wie wichtig Ihre Bedürfnisse für Sie sind und wie wichtig Ihnen die Anerkennung und Zuwendung anderer Menschen ist. Dies gilt natürlich umgekehrt auch für die anderen!

Bedenken Sie, wie wertvoll die gegenseitige Ergänzung ist, insbesondere dann, wenn sie dazu beiträgt, die Bedürfnisse aller Gesprächspartner zu befriedigen. Bemühen Sie sich daher immer um eine wertschätzende Kommunikation!

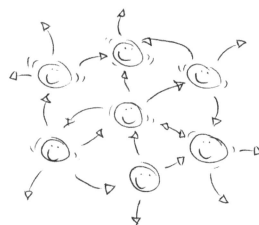

Im STUFEN-Baustein P lernen Sie mehr darüber.

Modul-Rückblick durch die Brille Ihrer Lern-Persönlichkeit

In diesem Modul haben Sie erfahren, wie Ihr Gehirn unter Stress funktioniert und was Sie tun können, um sich aktiv zu entspannen.
Sie haben darüber nachgedacht, wie Sie ihre Konzentration fördern können und erlebt, wie die Gedächtnisinhalte in Ihrem Gehirn untereinander zu Netzen verknüpft sind.

Die Erfahrung des Flow lehrt, dass Lernen ein befriedigender Prozess sein kann, denn das Bedürfnis nach Wachstum ist ein Grundbedürfnis. Flow entsteht dann, wenn die Herausforderungen für die vorhandenen Fähigkeiten nicht zu groß und nicht zu klein sind und wenn die Fähigkeiten zu den Herausforderungen passen.

Das limbische System erweist sich bei allen bisherigen Überlegungen als der Dreh- und Angelpunkt auch beim Lernen. Unsere Seminarteilnehmer nennen diesen Teil unseres Gehirns daher oft liebevoll „Limbi" und stellen ihn sich als einen bewegten und bewegenden Teddybär vor.

Wenn Sie möchten, übernehmen Sie das folgende *Mantra*:

Lerne Deinen „Limbi" lieben!

Menschen leben in einer komplexen sozialen Gesellschaftsstruktur, in der soziale Spannungen erhebliche Stresssituationen darstellen. Umgekehrt treibt uns das Bedürfnis nach Nähe und Verbundenheit zu Höchstleistungen.

Daher ist es sicher kein Schaden, auch die Limbis der anderen zu lieben.

In den folgenden Modulen können Sie lernen, Ihre Fähigkeiten individuell-optimal zu steigern, sodass Sie sich künftig neuen spannenden Herausforderungen stellen können!

Bevor Sie nun aber zum nächsten Modul gehen, **ziehen Sie bitte jetzt Ihre „Lern-Persönlichkeits-Brille" auf!**

Betrachten Sie die Informationen des Moduls „Gehirngerechtes Lernen" im Hinblick auf Ihre Lern-Persönlichkeit.

Im Folgenden finden Sie zu den Aspekten Stress, Konzentration und Hemisphären bedenkenswerte Hinweise und Denkanstöße zu den einzelnen Persönlichkeitstypen unseres Modells. Denken Sie immer daran: Sie besitzen in der Regel Präferenzen aus mehr als einem Persönlichkeitstypus – ordnen Sie sich also bitte nicht streng nur einem der vier Lern-Persönlichkeitstypen zu.

Gehen Sie nun zum Modul zurück und überlegen Sie jeweils kurz, inwieweit Ihre dort formulierten Einträge zu Ihrer Lern-Persönlichkeit und den folgenden Hinweisen bzw. Denkanstößen passen.

Zu 3.1: Stress und Stressbewältigung

Wenn wir den Eindruck gewinnen, unsere Grundbedürfnisse nicht mehr befriedigen zu können, dann resultiert daraus zunächst ein Unwohlsein, das sich bis zum physiologisch bedrohlichen Stress-Erleben ausweiten kann.

Die unterschiedlichen Persönlichkeitstypen sind für verschiedene Stressoren unterschiedlich sensibel.

„Rote" Persönlichkeit (Persönlichkeit mit hohem ROT-Anteil)

Grundbedürfnis:	Unabhängigkeit
Grundangst:	bezwungen werden
Tempo:	schnell
Stressoren:	Kontrollverlust, Verlust der Unabhängigkeit, ausgenutzt werden, Langeweile, Stillstand
Unter Druck:	beherrschend, autoritär

„Gelbe" Persönlichkeit (Persönlichkeit mit hohem GELB-Anteil)

Grundbedürfnis:	Anerkennung
Grundangst:	nicht anerkannt zu werden
Tempo:	schnell
Stressoren:	Verlust der Anerkennung, Ablehnung, Erniedrigung, Schuldzuweisungen
Unter Druck:	angreifend

„Grüne" Persönlichkeit (Persönlichkeit mit hohem GRÜN-Anteil)

Grundbedürfnis:	Sicherheit und Stabilität
Grundangst:	allein gelassen zu werden
Tempo:	langsam
Stressoren:	Verlust an Sicherheit und Stabilität, schnelle Veränderungen, unklare Situationen und Beziehungen, Konflikte, benachteiligt zu werden
Unter Druck:	nachgiebig, ggf. aber auch stur

„Blaue" Persönlichkeit (Persönlichkeit mit hohem BLAU-Anteil)

Grundbedürfnis:	Dinge richtig machen
Grundangst:	Zu Unrecht kritisiert zu werden
Tempo:	langsam
Stressoren:	Kritik an der Leistung, persönliche Kritik, schnelle Veränderungen, hohe Emotionalität, Qualitätsmängel
Unter Druck:	ausweichend

Die beiden eher sachorientierten Persönlichkeitstypen (rot, blau) tendieren dazu, Probleme eher rational anzugehen. Ihnen bietet das Großhirn dazu hinreichend Lösungsstrategien an.

Die beiden eher beziehungsorientierten Persönlichkeitstypen (gelb, grün) setzen eher auf emotionale und partnerschaftliche Lösungsstrategien. Ihnen bietet das limbische System mit seinem empathischen Zugang zu anderen Menschen ausreichend Ansätze.

Zu 3.2: Aufmerksamkeit und Konzentration

Den unterschiedlichen Persönlichkeitstypen fällt es unterschiedlich leicht, sich auf bestimmte Fragestellungen zu konzentrieren. Das liegt daran, dass die verschiedenen Persönlichkeitstypen unterschiedliche Fragestellungen bevorzugen.

„Rote" Persönlichkeit (Persönlichkeit mit hohem ROT-Anteil)

Was...
    ... ist das Ziel?
    ... hat man / habe ich davon?
    ... sind die Erfolgsaussichten?

„Gelbe" Persönlichkeit (Persönlichkeit mit hohem GELB-Anteil)

Wer...
    ... macht dabei mit?
    ... profitiert davon?
    ... Interessiert sich dafür?

„Grüne" Persönlichkeit (Persönlichkeit mit hohem GRÜN-Anteil)

Wie...
    ... kann es erreicht werden?
    ... erfüllt es meine Erwartungen?
    ... lange dauert es?

„Blaue" Persönlichkeit (= Persönlichkeit mit hohem BLAU-Anteil)

Warum...
    ... ist dies das Richtige?
    ... sollte ich damit beginnen?
    ... sollte ich etwas in dieser Weise tun?

Zu 3.3: Zwei Hemisphären

Die Hemisphären-Theorie spiegelt sich im Modell der Persönlichkeiten, wie wir es verwenden, nicht. Alle Persönlichkeitstypen nutzen die Leistung Ihres Großhirns in individueller Weise.

Aber bezüglich unseres limbischen Systems („Lerne auch die Limbis der anderen lieben!") lohnt eine Überlegung: Zwischenmenschliche Auseinandersetzungen und Konflikte sind für soziale Wesen wie uns erhebliche Stressoren. Es lohnt sich daher, die Übertreibungen unserer Stärken, also unsere wahren Schwächen, gerade im zwischenmenschlichen Bereich zu reduzieren. Dies betrifft vor allem die beziehungsorientierten Menschen.

„Rote" Persönlichkeit (Persönlichkeit mit hohem ROT-Anteil)

▷ statt beherrschend und autoritär sein: aktiv zuhören und sich auf die anderen einlassen!

„Gelbe" Persönlichkeit (Persönlichkeit mit hohem GELB-Anteil)

▷ statt anzugreifen: Fakten mit einbeziehen und sich Zeit nehmen!

„Grüne" Persönlichkeit (Persönlichkeit mit hohem GRÜN-Anteil)

▷ statt nachzugeben und sich zurückzuziehen: positiv auf Veränderungen zugehen und initiativer werden!

„Blaue" Persönlichkeit (= Persönlichkeit mit hohem BLAU-Anteil)

▷ statt auszuweichen: den anderen die eigene Vorstellung erklären!

Hier ist Platz für Ihre Notizen zum Modul – gerne auch als Mind Map:

Modul 4: Wissens-Aufnahme

Erzähle es mir und ich vergesse;
zeige es mir, und ich erinnere mich;
lass es mich tun, und ich verstehe.
(Konfuzius)

In diesem Modul erfahren Sie, dass Lernen ein aktiver Prozess ist, bei dem aus Ihrem Vorwissen und den Informationen, die Sie über Ihre Sinne erhalten, etwas Neues konstruiert wird. Infolgedessen ist es wichtig, sich auf die Informationsaufnahme einzustimmen und Methoden zu erlernen, die es erlauben, z. B. Vorträge zu erfassen oder aus Texten Informationen zu entnehmen. Das ist die Grundvoraussetzung dafür, dass unser Gehirn die neuen Informationen mit bereits Bekanntem verknüpfen kann.
Über die theoretischen Aspekte hinaus werden Sie in diesem Modul eine Vielzahl von Methoden und Techniken kennenlernen, die Ihnen helfen können die Informationsaufnahme zu optimieren.
Wichtig: Für unseren Lernerfolg ist die Verknüpfung von Neuem mit unserem Vorwissen von zentraler Bedeutung. Wir befassen uns in Modul 5 mit Methoden zur Aktivierung des Vorwissens sowie den theoretischen Hintergründen von Vorwissen und Gedächtnis (5.1 und 5.2).

4.1 Eingangskanäle – die Tore zum Wissen

Konfuzius hat darauf hingewiesen, dass Verständnis eine aktive Tätigkeit ist. Es genügt nicht, nur Informationen aus der Welt um uns herum zu gewinnen, sondern wir müssen aktiv werden, wenn wir die Welt verstehen wollen. Ein solches Verständnis ist die Grundlage für nachhaltiges Lernen.

Unsere Sinnesorgane sind die Eingangskanäle, die das Gehirn mit der Außenwelt verbinden. Eingangskanäle ermöglichen Erfahrung und machen so das Lernen erst möglich!

Aber nicht alle Menschen nutzen diese Informationen in gleicher Weise. Die Summe der Informationen aus den unterschiedlichen Eingangskanälen ist erfahrungsgemäß größer, als die Effekte der einzelnen. Es lohnt sich also, zu kombinieren.

In vielen Lernratgebern finden sich ausführliche Überlegungen, welcher „Eingangskanal-Typ" (visuell, auditiv, kinästhetisch), der meist als „Lerntyp" bezeichnet wird, mit welcher Technik besonders nachhaltig lernt.

Richtig daran ist, dass wir im Laufe unserer Entwicklung tatsächlich meist bestimmte Eingangskanäle bevorzugen. Es ist auch gut, wenn wir unseren Vorlieben folgen, damit das Lernen Spaß macht und wir uns dabei wohl fühlen.

WERNER STANGL-TALLER, ein Psychologe der Universität Linz, befürchtet jedoch, dass eine zu starke Fixierung auf nur einen „Lerntyp" den Blick auf die vielfältigen Möglichkeiten effektiven Lernens verstellen kann:

„Lerntypen und die davon abgeleiteten Lernstrategien haben durchaus ihre Berechtigung, wenn es um reproduzierbares Wissen (deklaratives Wissen, Faktenwissen) geht, das auswendig gelernt werden soll. Sobald aber komplexere Sachverhalte gelernt werden sollen, kommt man mit Lerntypentheorien nicht mehr weiter." (STANGL-TALLER o.J., 13.7.13) Das liegt daran, dass Lernen immer eine aktive Verknüpfung der neuen Informationen mit bereits Bekanntem bedeutet. Diesem Aspekt haben wir im Folgenden unsere besondere Aufmerksamkeit gewidmet.

ich markiere

Ü41: In der nachstehenden Tabelle finden Sie drei Eingangskanäle und jene Lerntechniken, die mit diesen Eingangskanälen zusammenhängen.

Markieren Sie die Lerntechniken, die Ihnen besonders zusagen! (Sie können weitere Methoden ergänzen.)

Eingangskanal	*Methoden* *die mir gefallen*
sehen / visuell	Lesen Mind Maps, Poster, Bilder, Skizzen betrachten Markierungen, Farben visualisieren
hören / auditiv	mit eigenen Worten beschreiben laut lesen in Reime fassen in einen Rhythmus bringen erklären lassen aufnehmen und ggf. abhören
greifen / kinästhetisch (Informationsaufnahme durch eigenes Tun und Erleben)	lernen in Bewegung mit selbst erstellten Karteikärtchen Notizen machen Aufgaben notieren und abhaken Lernlandschaften bauen Mind Maps (mit der Hand) zeichnen Lerngruppe besuchen Poster, Bilder, Zeichnungen erstellen

Möglicherweise erkennen Sie nun besser, welche Eingangskanäle Sie bevorzugen. Notieren Sie:

Mein bevorzugter Eingangskanal ist ....

Ihre Eingangskanäle sind die Tore zur Welt und damit auch die Tore zum effektiven und effizienten Lernen.

Im Idealfall wird die Information auf unterschiedlichen Kanälen dargeboten. Allerdings ist dies häufig nicht der Fall. Lehrer oder Dozenten beispielsweise präsentieren Information häufig in Form eines Vortrags.

Um damit zurechtzukommen, gilt es: 1. den schwachen Kanal zu trainieren, 2. die Information, den Lernstoff später noch einmal über einen anderen Kanal (z. B. über Filme) zu erschließen. Die dritte Möglichkeit besteht darin, den Lernstoff selbst so aufzubereiten, dass Sie ihn mit ihren starken Kanälen aufnehmen können.

> *Stärken nutzen! ... Begrenzungen erkennen*
> *und ihnen proaktiv begegnen!*

Hilfreiche Techniken dazu stellen wir Ihnen im Folgenden vor.

Übrigens: Wenn Sie selbst präsentieren, sei es in einer mündlichen Prüfung, bei einem Vortrag oder einer Bewerbung, können Sie diese Erkenntnisse auch in umgekehrter Richtung umsetzen. Senden Sie bewusst auf verschiedenen Kanälen, dann werden Sie optimal wahrgenommen!

4.1.1 TQ3L-Methode

Die TQL3-Methode ist eine wirkungsvolle Hilfe, um sich auf die Informationsaufnahme vorzubereiten.

Stellen Sie sich vor, Sie warten darauf, dass Ihre Lieblingsserie im Fernsehen beginnt. Sie legen sich alles zurecht, was Sie für einen schönen Fernsehabend benötigen und machen es sich vor dem Fernseher gemütlich (Tune in, sich einstimmen). Wie war das noch gleich, was ist in der letzten Sendung alles passiert? Was könnte heute weiter geschehen? (Question, Fragen). Nun verfolgen Sie Ihren Helden ganz genau (Look at the speaker, auf den Redner schauen) und hören genau zu (Listen, zuhören), damit Sie ja nichts verpassen. Wie immer ist die Sendung viel zu schnell vorüber. Sie lehnen sich zurück und lassen alles noch einmal Revue passieren (Look over / zurückblicken).

Anmerkung: Das letzte „L" dient genau genommen nicht mehr der Vorbereitung der Informationsaufnahme. Jedoch werden Informationen mittels *look over* verarbeitet und vor allem verankert, was den Lernprozess erfolgreich abschließt.

> Ü42: Übertragen Sie die TQ3L-Methode vom Fernsehbeispiel auf Ihre Lernsituation. Ergänzen Sie die Tabelle z. B. für eine Schulstunde oder eine Seminarsitzung.
>
> Was ist zu tun?

und so geht's

T une in	
Q uestion	
L ook	
L isten	
L ook over	

4.2 Mitschriften

In den meisten Fällen, in denen Informationen vermittelt werden, sollten Sie sich Notizen anfertigen. Denn:

Mitschreiben bedingt Zuhören!

Mitschreiben erfordert Bewerten und Auswählen!

Mitschreiben gewährleistet den Überblick!

Um effektiv mitschreiben zu können, gibt es Regeln und Techniken. Notieren Sie vor allem:

▷ Kernaussagen, Merksätze, Thesen und Schlagzeilen

▷ Argumente, die Kernaussagen und Thesen stützen

▷ Daten, Zahlen, Fakten und Literaturhinweise

Versuchen Sie nicht, wörtlich mitzuschreiben. Zum einen spricht der Redner in der Regel schneller als Sie schreiben, zum anderen verlieren Sie Zeit zum Mitdenken, um Gesagtes zu bewerten und um „Schlüsselbegriffe" auszuwählen. Beschränken Sie sich auf Schlüsselbegriffe (außer bei Definitionen, Zitaten etc.). Erinnern Sie sich an den Assoziationstest in Modul 2: Hier konnten Sie erleben, wie Sie anhand einzelner Begriffe (Assoziationen) andere Begriffe rekapitulieren können.

Beginnen Sie erst mit Ihren Notizen, wenn ein Sinnabschnitt beendet wurde. Dies stellt sicher, dass Sie die Schlussfolgerungen des Vortragenden erfassen. Strukturieren Sie das Gehörte! Strukturen sind wie ein Gerüst, dessen Lücken sich später füllen lassen. Wenn die Veranstaltung es ermöglicht, hören sie aktiv, fragend zu! Wenn dies nicht möglich ist, notieren Sie Ihre Fragen.

Bei Mitschriften wird die Strukturierungsarbeit des Gehirns angeregt, da bereits während des Schreibens die Information mehrkanalig (auditiv, visuell, kinästhetisch) aufgenommen wird.

Gewöhnen Sie sich an ein bestimmtes (Ihr) System von Abkürzungen und Symbolen, das Sie konsequent benutzen. Damit sparen Sie Schreibzeit und gewinnen Transparenz.

ggf. Abk. einf.!

Ü43: Ergänzen (oder verändern) Sie die Tabelle mit eigenen Abkürzungen und Symbolen:

☺	finde ich gut!	B	Beispiel (suchen)
☹	gefällt mir nicht!	MM	Mind Map erstellen
✓	in Ordnung, verstanden		klar und deutlich
?	unklar, nachfragen		widersprüchlich

!	Wichtig		Zustimmung
!!	sehr wichtig		Ablehnung

4.2.1 Standardisierte Vortrags-Mitschrift (SVM)

Eine Vortrags-Mitschrift sollte jeweils in einheitlicher Form erfolgen. Die Gewohnheit hilft Ihnen sich auf den Inhalt zu konzentrieren und nicht auf die Mitschrift. Eine solche „Standardisierte Vortrags-Mitschrift" kann z. B. so aussehen:

	Thema	Datum
	Dozent	evtl. Seitenzahl
		Rand für: *Schlüsselwörter* *Skizzen* *Symbole*
	offene Fragen:	

Üben Sie die Gestaltung der Seiten am besten als „unsichtbares Muster", indem Sie die für Sie wesentlichen Punkte in immer gleicher Weise auf ein leeres Blatt Papier übertragen. Machen Sie sich die Gestaltung zur Gewohnheit!

meine Vorlage

Ü44: Nehmen Sie ein Blatt Papier und entwerfen Sie nun ihr eigenes Muster für Vortrags-Mitschriften (SVM)

Vorträge und Mitschrift

Menschen denken assoziativ. Dadurch kommt es nicht nur bei Besprechungen, sondern auch bei Vorträgen dazu, dass Gedanken im Lauf der Zeit noch einmal aufgegriffen, diskutiert oder erweitert werden. Die folgende Abbildung demonstriert dies.

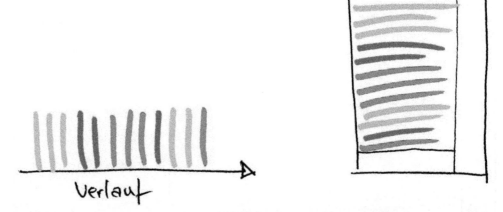

Abbildung 8: Vortragsverlauf – Berücksichtigung in einer linearen Mitschrift (n. RUSTLER 2007)

Im Verlauf eines Vortrages geht der Redner auf unterschiedliche Aspekte (Farben) ein, manchmal springt er zwischen den Gedanken oder greift auf vorherige Aspekte zurück. In einer linearen Mitschrift sind die Einzelaspekte (Farben) dann verstreut. Dies zeigt die Abbildung rechts.

100

Jede Form der Mitschrift sollte möglichst zeitnah nach der Anfertigung noch einmal überdacht werden. Achten Sie auf Lesbarkeit, Verständlichkeit und vor allem Vollständigkeit. Markieren Sie Kernaussagen mit einem Textmarker. Führen Sie Aspekte wieder zusammen, ggf. mittels weiterer Anmerkungen am Rande.

> *Zuhören und Mitschreiben*
> *können und müssen geübt werden!*

Eine Anmerkung zum Markieren mit System

Wenn Sie in Texten Aussagen deutlich hervorheben, z. B. durch Unterstreichen, farbliches Markieren mit einem Textmarker oder Randbemerkungen, lesen Sie *aktiv*. In dem Moment, in dem Sie markieren, treffen Sie nämlich bewusst Unterscheidungen zwischen wichtigen und unwichtigen Aussagen. Es ist vorteilhaft, bereits ein wenig mit dem entsprechenden Themengebiet vertraut zu sein, um die Textaussagen entsprechend ihrer Bedeutung richtig einordnen zu können. Markierungen sollten farbig erfolgen und vor allem immer nach dem gleichen Muster geschehen.

ich markiere

Ü45: Markieren Sie im Text „**Markieren mit System**"
        die folgenden Aussagen:

Unterstreichen / farbliche Markierungen / Aussagen /
bewusste Unterscheidung / wichtig / unwichtig / farbig / gleiches Muster

Fassen Sie den Text jetzt anhand der Markierungen in eigenen Worten zusammen!

....

....

....

....

....

Welche Erfahrung haben Sie gemacht? Wie fühlt sich das an?

....

....

4.2.2 Mind Map, eine Universaltechnik

Mind Maps folgen nicht der Zeit (linear), sondern orientieren sich an den Inhalten (nicht-linear) und ordnen diese einander zu. Selbst Informationen, die unstrukturiert vorliegen, können auf diese Weise leicht strukturiert werden.

Ein weiterer Vorteil liegt darin, dass das Anfertigen einer Mind Map Konzentration einfordert und somit das aktive Zuhören, Mitdenken und Strukturieren fördert.

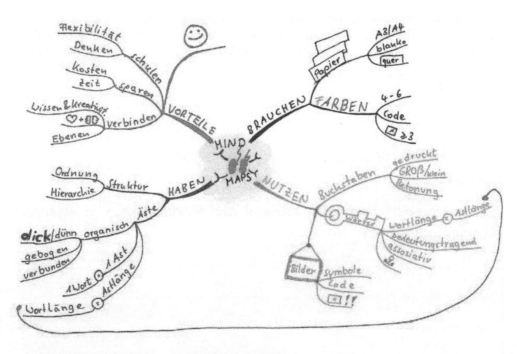

Abbildung 9: Mind Map, Horst Müller 2013

Mind Mapping ist eine Methode, die der Funktionsweise unseres Gehirns sehr entgegen kommt:

▷ Mind Maps machen Spaß (limbisches System)

▷ Mind Maps strukturieren (Großhirn)

▷ Mind Maps sind bunt und kreativ (rechte Hirnhälfte)

▷ Mind Maps sind verbal und strukturiert (linke Hirnhälfte)

▷ Mind Maps sind individuell-optimal (Persönlichkeit)

▷ Mind Maps können mit anderen gemeinsam bearbeitet werden (Nähe und Verbindung)

▷ Mind Maps sind Bilder (visueller Eingangskanal) und werden am besten von Hand angefertigt (kinästhetischer Ein- und Ausgangskanal)

▷ Mit einer Mind Map kann man auch sich selbst oder anderen Vorträge oder Kurzreferate halten (auditiver Ausgangskanal)

Mind Mapping lässt sich für viele unterschiedliche Lern-Aufgaben verwenden, z. B. zum Erstellen von Lernpostern, Übersichten, Ideen-Sammlungen, Präsentationen, Planungen (etwa Prüfungs-, Urlaubs-, Event-Plan) u. v. m.

Dabei können Sie einzeln arbeiten oder auch im Team.

Mind Maps können Sie auch am PC oder auf einem Smartphone erstellen, dafür gibt es eine Reihe kostenfreier bzw. kostengünstiger Programme.

HORST MÜLLER, einer der erfolgreichsten Mind-Mapping Trainer Deutschlands, erklärt das Vorgehen zur Herstellung einer Mind Map so (mit freundlicher Genehmigung MÜLLER 2015):

1. Beginnen Sie eine Mind Map in der Mitte des quer liegenden Blattes mit einem mehrfarbigen Zentralbild, das Ihr Thema darstellt, eventuell ergänzt durch ein Stichwort. Verzichten Sie, auch wenn Sie meinen nicht zeichnen zu können, nicht auf ein Bild oder Symbol in der Mitte.

2. Je offener und vielleicht auch umfangreicher Ihr Thema ist, desto größer sollten Sie Ihr Papier wählen. Ein Brainstorming für eine Vorlesung werden Sie nicht auf einem A4 Blatt unterbringen, ebenso wenig eine Vortragsmitschrift von einer Stunde. A3 ist ein gutes Einsteigerformat, aber auch Blöcke aus dem Zeichenbedarfsgeschäft (50x70cm) oder ein Flipchartblatt sind mögliche Formate.

3. Benutzen Sie Schlüsselwörter. In der Regel Hauptworte oder Verben. Ein Schlüsselwort repräsentiert einen Gedanken oder Sachverhalt. Versuchen Sie Adjektive und Adverbien in Symbolen auszudrücken.

4. Ausgehend vom Zentralthema in der Mitte zeichnen Sie miteinander verbundene farbige Linien, auf die Sie Ihre Schlüsselworte notieren.

   Variieren Sie die Dicke und Farbe der Linien, die jedoch nur so lang wie das dazugehörige Wort sein sollen. Schreiben Sie nur ein Wort pro Linie auf. Achten Sie besonders darauf, die vom Thema ausgehenden Linien möglichst kurz zu machen und die Schlüsselworte der Hauptzweige möglichst nah am Thema zu notieren.

5. Schreiben Sie in Druckbuchstaben. Auf den Hauptästen in Großschrift. Variieren Sie zwischen Groß- und Kleinschrift, eventuell auch zwischen den Schriftarten. Schaffen Sie Abwechslung und Betonung.

6. Ergänzen oder ersetzen Sie Schlüsselwörter durch Bilder und Symbole in unterschiedlichen Formen und Größen. Nutzen Sie z. B. Pfeile für Verbindungen, Wolken und Hintergrundfarben zur Hervorhebung.

7. Haben Sie Mut, Farbe und Symbole bzw. Bilder zu nutzen. Bunte Fineliner, Vierfarbkugelschreiber, Nachkolorierung mit Buntstiften oder Textmarkern sind andere Möglichkeiten, Farbe in Ihre Mind Map zu bringen.

8. Vermeiden Sie, das Papier zu stark zu drehen, damit später keine Schlüsselworte senkrecht stehen und die Mind Map nicht mehr aus einer Perspektive zu lesen ist. Richten Sie Ihre Zweige in Richtung der Blattecken aus.

I map my mind

Ü46: Nehmen Sie sich ein großes leeres Blatt und entwerfen Sie eine **Mind Map** für Ihren nächsten Urlaub!

Welche Ziele kommen infrage?

Was würden Sie dort tun wollen?

Welche Unterkünfte, Verkehrsmittel etc. kommen infrage?

Viel Freude im Prozess ... !

Haben Sie Freude am Erstellen von Mind Maps gefunden? Dann werden Sie jetzt noch kreativer: Versuchen Sie sich an einer „Mind Art", bei der Sie nicht nur zeichnen, sondern ihre Map bekleben und Bilder einfügen. „Spielen" Sie!

4.2.3 Vorträge und Mind Mapping

Zur Erinnerung: Vorlesungen und Vorträge sind ebenso wie Gespräche und Besprechungen nicht immer strukturiert aufgebaut. Redner kommen oft auf Aspekte zurück, die sie bereits dargelegt hatten, erweitern und ergänzen diese. In der Folge verteilt sich ein Gedanke nicht entlang einer Zeit-Linie (linear) sondern er besteht aus kleineren Untereinheiten, die zeitlich voneinander getrennt sind. Die Abbildung zeigt Ihnen, wie ein Redner im Verlauf seines Vortrages zwischen den Themen hin und her springt.

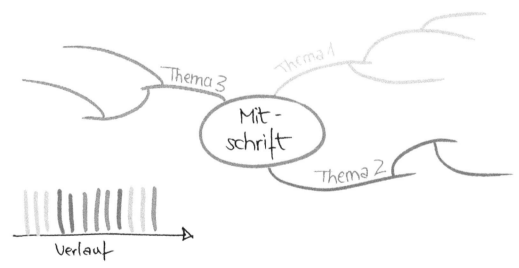

Abbildung 10: Vortragsverlauf – Berücksichtigung beim Mind Mapping (n. RUSTLER 2007)

105

In der Mind Map findet automatisch eine Strukturierung statt und es gelingt problemlos, Gedankensprüngen den roten Faden zurückzugeben. Grundsätzlich gilt dabei das Ziel:

Erst-Schrift = Letzt-Schrift

Durch Übung wird dieses Zuordnen und Strukturieren zunehmend leichter, sodass ihre SVM oder Mind Map lediglich eine kurze Nachbearbeitung im direkten - oder möglichst zeitnahen - Anschluss an den Vortrag benötigt.

Wenn Sie Ihre Mitschrift in der nächsten Sitzung (tune in) wieder hervorholen, sollten Sie alles das, was vom Referenten wiederholend dargelegt wird, farblich oder symbolisch herausstellen. Immerhin ist dies aus Sicht des Referenten das Wesentliche und daher für Überprüfungen des Wissens (z. B. Klausuren) zentral!

SMV vs. Mind Map

Ü47: Vergleichen Sie die beiden Methoden zur Mitschrift und verdeutlichen Sie sich jeweils die Vor- und Nachteile.

Schalten Sie ihr Radio ein. Den ersten Bericht, den Sie hören, schreiben Sie als SVM mit, zum nächsten fertigen Sie eine Mind Map an.

Überlegen Sie danach: Welche Methode liegt Ihnen mehr? Gilt diese Vorliebe generell – oder gibt es Ausnahmen?
Notieren Sie Ihre Erfahrung!

....

....

....

Zunehmend veröffentlichen Referenten Manuskripte und Folien zu ihren Vorträgen. Ein Manuskript erspart ihnen das Mitschreiben und stellt sicher, dass inhaltlich nichts verloren geht und keine nachhaltigen Fehlinterpretationen auftreten.

Beachten Sie aber, dass das Manuskript nur eine Arbeitsunterlage ist! Der Inhalt von Vortrag bzw. Manuskript muss von Ihnen nach wie vor erschlossen werden, beispielsweise mit einer Mind Map.

4.3 Erfolgreich Lesen, die PQ4R-Methode

PQ4R (Thomas und Robinson 1972, vgl. EDELMANN 2000, S. 145) sind die Anfangsbuchstaben der **sechs Schritte**, welche als eine der erfolgreichsten Methoden zur Verarbeitung von Texten gilt. Im Zentrum dieser Methode steht das Fragen.

Um Ihnen einen Einblick in die Methode zu geben, suchen Sie sich bitte einen längeren Text aus, den Sie lesen möchten. Sie können z. B. einen der folgenden Abschnitte aus diesem Buch verwenden. Mit Ihrem ausgewählten Text können Sie nun die sechs Schritte der PQ4R-Methode durchspielen.

Auch beim erfolgreichen Lesen ist es entscheidend, dass Sie sich zunächst „einstimmen".

Das **TUNE IN** (Einstimmung, vgl. TQ3L-Methode)

▷ Zeit festlegen: Wann lese ich, wie lange?

▷ Störquellen ausschalten (Handy...)

▷ Leseposition: Ort, Sitzhaltung

▷ Zielsetzung formulieren

▷ Interesse prüfen

▷ positive Einstellung anbahnen

Jetzt beginnen Sie Ihre Texterarbeitung mit Hilfe der **PQ4R-Methode**.

1. Preview (Überblick gewinnen)

In diesem ersten Schritt „Preview" geht es darum, sich einen Überblick über den Text zu verschaffen, indem Sie (beim Lesen ganzer Büchner) zunächst Titel, Inhaltsverzeichnis, Vor- und Geleit- sowie ggf. Nachwort lesen und zudem Klappentext, Literatur- und vor allem das Stichwortverzeichnis zur Kenntnis nehmen. Danach überfliegen Sie den Text („diagonales Lesen").

Achten Sie dabei z. B. auf Zusammenfassungen, Überschriften, Randbemerkungen und Hervorhebungen.

Wenige Minuten sollten für diesen Schritt ausreichen. Sie haben den ersten Eindruck vom Inhalt und der Intention des Textes gewonnen und ganz nebenbei wurde Ihr Vorwissen aktiviert. Sie sind nun für eine intensivere Beschäftigung mit dem Text vorbereitet.

2. Questions (Fragen)

Versuchen Sie Fragen an den Text zu stellen. Dies ist der wichtigste Schritt überhaupt, denn nur so kann die aktive Auseinandersetzung mit dem Text beginnen. Eine der wichtigsten Fragen lautet: „Was verspricht diese Lektüre? Soll ich überhaupt weitermachen?"

Entscheiden Sie sich zum Weitermachen, dann helfen Ihnen die nachstehenden Tipps!

> *Schlüpfen Sie in eine andere Rolle!*
>
> *Welche Fragen würde ein Journalist stellen, welche Fragen könnte ein Lehrer stellen?*
>
> *Formulieren Sie möglichst kurze Fragen! Benutzen Sie W-Fragen: „Was", „Wer", „Wie", „Wozu" ... (vgl. Kapitel 5.1 „Fragenfächer")*
>
> *Notieren Sie die Fragen auf Karteikarten, sodass Sie sie später auf der Rückseite beantworten können.*

PQ4R

Ü48: Überlegen Sie sich nun mindestens drei Fragen zu dem Text, den Sie sich oben zum Üben der Methode ausgesucht haben.

1. ....

2. ....

3. ....

3. Read (Lesen)

Lesen Sie sich nun den Text sorgfältig durch und behalten Sie dabei Ihre gestellten Fragen im Hinterkopf. Dieser Schritt ist geistige Schwerarbeit. Unterstützen Sie sich, indem Sie Textstellen markieren, Hervorhebungen machen oder vielleicht eine Mind Map anfertigen. Machen Sie es sich zum Grundsatz, immer dann das Lesen zu unterbrechen, wenn Sie an eine „relevante" Stelle kommen, und nicht (zufällig dann), wenn Sie müde werden oder keine Zeit mehr haben. An jedem „relevanten" Stopp erfolgt dann sinnvollerweise Schritt 4 (Reflect), ggf. auch Schritt 5 (Recite).
Sicherlich haben Sie bemerkt, dass Sie beim Lesen des Textes (vielleicht ungewöhnlich?) konzentriert waren und auch nach Informationen gesucht haben, die Ihnen Ihre Fragen beantworten. Durch die Vorbereitung (P und Q) konnten Sie das Wesentliche vom Unwesentlichen besser unterscheiden und den roten Faden leichter im Auge behalten.

4. Reflect (Nachdenken / Reflektieren)

Denken Sie nach der Lektüre eines Abschnittes über dessen Inhalt nach. Suchen Sie eigene Beispiele. Dadurch werden die Textinhalte aufgearbeitet, neu miteinander verknüpft und in Bezug zum Vorwissen gebracht. Sie können vielleicht Zusammenhänge zwischen den Textinhalten identifizieren und weitere erkennen; so entstehen komplexe Gedächtnisstrukturen, deren Elemente miteinander verknüpft sind.
Das Finden eigener Beispiele ist empfehlenswert, weil Lerninhalte, die einen persönlichen Bezug haben, besser behalten werden.
Auch ein Austausch in einer Lerngruppe ist für Textverständnis und Lernen förderlich, weil dadurch eine besonders aktive Verarbeitung des Gelesenen (und Gehörten) erfolgt. Besondere gewinnbringend ist auch das Auffinden weiterer Fragen (s. Schritt „Q") in der Gruppe.

5. Recite (Wiedergeben / „Rezitieren")

Legen Sie nun den Text zur Seite und versuchen Sie sich an die Informationen aus dem Text zu erinnern. Beantworten Sie sich Ihre Ausgangsfragen. Sollten Sie bei der Beantwortung einzelner Fragen noch Probleme haben, lesen Sie den Text noch einmal und wiederholen Sie ggf. die Schritte 4 und 5. Es ist empfehlenswert, Fragen und Antworten (mithilfe des Textes) auf Karteikarten (Modul 4.3.4) zu schreiben und ggf. in Ihre Lernkartei (Modul 5.5.3) zu übernehmen. Dies ist zum Beispiel dann besonders hilfreich und sinnvoll, wenn Sie über das Gelesene später einen Vortrag halten oder eine

Arbeit schreiben werden. Vorsicht: Schreiben Sie den Text oder Auszüge nicht einfach ab! Eine Ausnahme könnten wichtige Zitate sein, die Sie später wörtlich wiedergeben möchten.

6. Review (Rückblick)

Gehen Sie den gesamten Text schließlich noch einmal in Gedanken durch und fassen Sie das Wichtigste zusammen. Die Zusammenfassung kann in Textform erfolgen oder auch schematisch als Tabelle oder Mind Map. Rufen Sie sich dabei die zentralen Punkte ins Gedächtnis und reflektieren Sie noch einmal Ihre Fragen und die Antworten.
Dabei kann es - je nach Zielsetzung (z. B. bei wissenschaftlichen Arbeiten) - sinnvoll sein, das Für und Wider oder kritische Anmerkungen festzuhalten.

Herzlichen Glückwunsch!

Sie haben die PQ4R-Methode erfolgreich praktiziert.

Sicherlich werden Sie das Gelernte nicht so schnell wieder vergessen, denn durch das ständige Wiederholen, Integrieren und das Formulieren mit eigenen Worten haben Sie sich ein ebenso solides wie auch abrufbares Grundlagenwissen im Hinblick auf diesen Text erarbeitet.

Vielleicht erscheint Ihnen die PQ4R-Methode zunächst mühsam, zeitraubend und lästig. Bei wiederholter Verwendung werden Sie aber zunehmend Übung in der Anwendung der Methode bekommen und feststellen, dass Sie mehr Informationen erhalten, die Sie sich zudem besser merken können. Außerdem sparen Sie aufgrund der Nachhaltigkeit des Gelernten letztlich auch Zeit, was sich besonders im Hinblick auf die Vorbereitungen (und die Bearbeitung) von schriftlichen Prüfungen sehr positiv auswirkt.
Auf den folgenden Seiten lernen Sie Methoden und Alternativen kennen, mit deren Hilfe Sie „PQ4R" noch effizienter einsetzen können.

4.3.1 Text-Bild-Methode

Diese Methode kommt völlig ohne Markierungen im Text aus, sie setzt stattdessen auf kreative die Visualisierung der Textinhalte. Innerhalb der PQ4R-

Methode ist die Text-Bild-Methode (TBM) besonders gut geeignet, Lesevorgänge zu reduzieren und den Text zu exzerpieren (Schritt **„Recite"**).

Aber auch eigenständig angewandt stellt die TBM ein hoch effizientes Werkzeug in den Bereichen Textverstehen und Textwiedergabe dar. Und das nicht nur bei kürzeren, komplexen Texten.

Stellen Sie sich vor, welche Übersichtlichkeit sie bezüglich der Darstellung von Handlungssträngen literarischer Werke aller Art gewinnen können. Probieren Sie es aus - Sie werden begeistert sein!

Hier die Anleitung:

1. **Lesen** Sie den Text einmal zügig durch!

2. **Textbausteine erstellen**: Versehen Sie kleine Selbstklebezettel (Post-it) mit Zeichen, Symbolen, Abkürzungen oder notfalls auch Stichworten. So visualisieren Sie die Textinhalte.

3. **Sammeln und sortieren**: Breiten Sie alle Textbausteine vor sich aus und verschieben Sie sie solange, bis Sie eine sinnvolle Struktur vor sich liegen haben.

4. **Reduzieren**: Prüfen Sie, was sich aussortieren, kürzen oder einfacher formulieren lässt.

5. **Übertragen und verknüpfen**: Gestalten Sie ein Blatt Papier, indem Sie die Textbausteine übernehmen, Schlüsselworte hinzufügen und ggf. weitere Einfälle ergänzen. Verbinden Sie, wenn nötig, Inhalte mit Pfeilen, Strichen und Symbolen. Der Textinhalt liegt nun – übersichtlich gestaltet – vor Ihnen.

(Methode nach MICHELMANN, R. UND W.U., 2000)

Die TBM ist sehr geeignet für die Arbeit in Gruppen und macht dort überdies richtig Spaß!

Ü49: Blättern Sie zurück zum Beginn des Moduls 4 und bearbeiten Sie den Text „4.1, Eingangskanäle – die Tore zum Wissen" mit der TBM (ohne Übung 41 und TQ3L). Nutzen Sie dazu die angegebenen Hilfsmittel. Setzen Sie sich dafür ein Zeitlimit, 15–20 Minuten sollten genügen.

TBM

111

4.3.2 Interview mit mir selbst (vertiefende Fragen)

Ein „Interview mit sich selbst" kann man während der Phasen **„Reflect"** und **„Review"** sehr gut einsetzen. Dabei kann man mit ein wenig Schauspiel seinem limbischen System etwas Gutes tun!

Beispiele für Fragen:

▷ Was wäre ein weiteres Beispiel für ...?

▷ Wie würdest Du ... verwenden, um ...?

▷ Erkläre, weshalb ...!

▷ Was bedeutet ... ?

▷ Wie kann ich das Gehörte oder Gelesene mit eigenen Worten beschreiben?

▷ Welche Gemeinsamkeiten bestehen zwischen ... und ... ?

▷ Worin unterscheiden sich ... und ...?

▷ Welches sind die Stärken und Schwächen von ...?

▷ Was könnte passieren, wenn ...?

Das Formulieren der Fragen und Antworten dient der vertieften Verarbeitung des Lernstoffes, um Neues mit bereits Bekanntem zu verbinden. Fällt es Ihnen schwer, diese Fragen zu formulieren oder Antworten zu finden, so zeigt Ihnen dies, dass Sie die Inhalte noch nicht genügend verarbeitet haben. Dann ist es empfehlenswert, den Text erneut zu lesen und zu bearbeiten.

Es kann an dieser Stelle auch Sinn ergeben und Spaß machen, die Fragen in Teamarbeit zu bearbeiten und sich gegenseitig zu erläutern.
Auch der „Fragenfächer" aus Modul 5.1 kann hier eine zusätzliche Hilfe bieten.

4.3.3 Hierarchischer Abrufplan

Ein hierarchischer Abrufplan eignet sich während der Schritte **„Read"** und **„Recite"** besonders dann, wenn eine Struktur erfasst werden muss (z. B. Klassifizierungen, etc.) oder wenn der Stoff einen Grobüberblick sowie Details zu einzelnen Bereichen verlangt. Gerade naturwissenschaftliche Fächer neigen dazu, Informationen hierarchisch zu strukturieren.

Ziel ist es, unter Verwendung reduktiver Techniken, die wichtigsten Inhalte zu erfassen und wieder abrufbar zu machen.

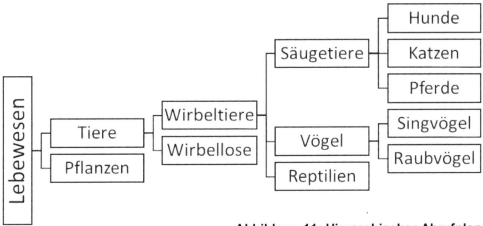

Abbildung 11: Hierarchischer Abrufplan

Der in der Abbildung gezeigte Abrufplan könnte aus einem Biologiebuch zum Thema „Lebewesen lassen sich nach Ähnlichkeit ordnen" stammen.

Wenn Sie gerne mit dem Computer arbeiten, können Sie solche hierarchischen Pläne mit den meisten Office-Programmen erzeugen. Soweit Sie Freude am Mind Mapping gewonnen haben, erkennen Sie sicherlich die Verwandtschaft der beiden Methoden und können Sie ggf. kombinieren.

Ü50: Wahrscheinlich in jedem Haus findet sich ein Werkzeugkasten oder eine Sammlung von Werkzeugen. Entwerfen Sie hier zum Thema „Werkzeuge" einen hierarchischen Abrufplan!

hierarchischer Werkzeugplan

113

4.3.4 Arbeiten mit Sachkarten

Karteikarten ermöglichen es Ihnen, während der Schritte „**Question**" und „**Recite**" wichtige Textpassagen besonders gut herauszuarbeiten (exzerpieren), Zitate zu erfassen oder Personendaten und Literaturangaben zu dokumentieren. Sie können damit z. B. Formeln und Definitionen lernen. Gerade bei umfangreicheren Arbeiten sind Karteikarten eine große Hilfe.

Karteikarten haben viele Vorteile:

 ▷ Sie helfen dabei, den Inhalt zu komprimieren,

 ▷ sie sind einfach und schnell zu ergänzen und zu sortieren,

 ▷ sie sind leicht zu korrigieren,

 ▷ einzelne Teilthemen können einfach herausgesucht und wiederholt werden,

 ▷ sie sind auf die individuellen Bedürfnisse des Benutzers abgestimmt.

Bereits beim Erstellen der Karteikarten nutzen Sie Methoden, die den Lernerfolg erhöhen:

 ▷ Sie arbeiten das Wesentliche heraus.

 ▷ Sie ordnen und strukturieren.

 ▷ Sie können verschiedene Ein- und Ausgangskanäle verwenden.

 ▷ Sie wiederholen und vertiefen bereits während des Schreibens.

Und so geht's:

Besorgen Sie sich Karteikarten, am besten im Format A5 oder A6. Diese können Sie auch gut unterwegs benutzen. Zum Lernen von Vokabeln eignet sich auch Format A7 gut.

1. Notieren Sie links oben ein Schlagwort, mit dem Sie die Karte alphabetisch einordnen können.

2. Notieren Sie oben rechts zu welchem (Sach-)Gebiet die Karte gehört. Eine solche Signatur erleichtert es Ihnen, die Karten nach Themen zusammenzustellen.

3. Zum Wiederholen und Vertiefen bietet es sich an, auf der Vorderseite eine Frage zu formulieren, die dann auf der Rückseite beantwortet wird.

4. Nehmen Sie sich bei Bedarf die Zeit, Ihre Karteikarten z. B. auf dem Fußboden auszulegen und zueinander in Beziehung zu bringen. Dadurch verknüpfen Sie den detaillierten Inhalt (linke Gehirnhälfte) mit der Übersicht (rechte Gehirnhälfte) und regen Ihr Gehirn zu ganzheitlicher Aktivität an.

So können Sachkarten aussehen:

Arbeiten mit Sachkarten   **Lernen lernen**

Welche Vorteile bringt die Verwendung von Sachkarten mit sich?

Vorderseite

Abbildung 12: Sachkarten

Arbeiten mit Sachkarten   **Lernen lernen**

➲ komprimieren den Inhalt
➲ einfach und schnell zu ergänzen
➲ leicht zu korrigieren
➲ einfaches Wiederholen von Themen
➲ individuell

Rückseite

Sie beherrschen den Inhalt einer Lernkarte trotz Wiederholung noch nicht?

Markieren Sie die Karte mit einem Bleistift-Strich.

Je mehr Striche eine Karte hat, desto „widerspenstiger" ist der Lernstoff.

Widmen Sie dieser Karte besondere Aufmerksamkeit, indem Sie sie in die 5-Fächer-Lernkartei aufnehmen (s. Kap. 5).

4.3.5 Arbeiten mit Literatur- bzw. Autorenkarten

Für die Schritte „Question" und „Recite", vor allem aber, wenn Sie umfang-reichere Arbeiten, wie z. B. Facharbeiten, Semesterarbeiten bis hin zur Doktor-Arbeit anfertigen wollen, ist es sehr hilfreich, mit einer Literatur- oder Autorenkartei zu arbeiten. Meistens ist man sich sicher, wichtige Text-stellen jederzeit wiederzufinden. Die Erfahrung aber lehrt, dass der Inhalt uns zwar oft präsent bleibt, die Literaturstelle aber in Vergessenheit gerät. Bei umfangreicher Literatur kann es Tage dauern die richtige Stelle wieder-zufinden.

Daher: Beginnen Sie von Anfang an alle Informationen, die Sie bekommen, in Autoren- und Sachkarteien abzulegen – auch dann, wenn Sie noch nicht sicher wissen, ob Sie das Gefundene später überhaupt verwenden werden. Verfahren Sie bitte nicht (weiterhin?) nach der Devise: *„Wer Ordnung hält, ist nur zu faul zum Suchen!"*

Eine Autorenkartei muss die folgenden Angaben haben:

▷ alphanumerische Markierung   ▷ Name und Vorname des Autors
▷ Titel und Untertitel des Buches   ▷ weitere Angaben, z. B. Verlag
▷ Erscheinungsort und –jahr   ▷ Fundstelle und Signatur

Auf der Rückseite haben Sie dann Platz für Notizen, Anmerkungen und Schlüsselbegriffe.

Eine Autorenkarte könnte so aussehen:

W1

Wagner, Hardy

Der Weg zur Persönlichkeit

Metropolitan

Düsseldorf 2000

Vord

Wer seiner Persönlichkeit entsprechend handelt und seine Potenziale kennt, kommt im Leben leichter voran.

(Seitenangabe, hier: Umschlagrückseite)

☺ ☺ oder ☹ (pers. Bewertung)

ggf.:
- Schlüsselbegriffe
- Aha-Momente

Rückseite

Abbildung 13: Autorenkarten

Sowohl Sach- als auch Autorenkarteien sind heute in vielfältiger Weise für Computer verfügbar. Meistens leisten die Programme selbst als free- oder shareware weit mehr als die einfache Karteikarte.

Manche Computerprogramme kombinieren gleich mehrere Anwendungen:

▷ Literaturverzeichnis   ▷ Datenbank

▷ Quellenverzeichnis   ▷ Zeitplanung

▷ ...

Ein ausgezeichnetes Werkzeug zum Anlegen solcher Sachkarten ist „Citavi" (http://www.citavi.com), das auch in einer kostenfreien Version verfügbar ist.

Modul-Rückblick durch die Brille Ihrer Lern-Persönlichkeit

In diesem Modul haben Sie wichtige Methoden kennengelernt, die Ihnen dabei helfen können, neue Informationen aufzunehmen und mit bereits Bekanntem zu verknüpfen. Sie haben auch darüber nachgedacht, ob und inwieweit Sie bestimmte Eingangskanäle bevorzugen und wie Sie diese Erkenntnisse beim Lernen optimal umsetzen können. Sie haben erfahren, dass es von zentraler Bedeutung ist, sich zunächst auf den Informationsfluss einzustimmen (*TQ3L-Methode*) und mit welchen Methoden es gelingt, z. B. Vorträge (*Vortragsmitschrift, Mind Map*) und Fachliteratur (*PQ4R-Methode*) so zu verarbeiten, dass die Informationen in Ihrem Gehirn optimal verknüpft und gespeichert werden können.

In Modul 5 werden wir diese Erkenntnisse weiter vertiefen und Sie werden Techniken kennenlernen, die es Ihnen erlauben, das erworbene Wissen langfristig zu verankern.

Bevor Sie nun aber zum nächsten Modul gehen, ziehen Sie bitte jetzt Ihre „Lern-Persönlichkeits-Brille" auf!

Betrachten Sie die Informationen des Moduls „Wissens-Aufnahme" noch einmal im Hinblick auf Ihre Lern-Persönlichkeit.

Helfen kann Ihnen dabei, wie immer, ein erneuter Blick auf das Ergebnis Ihrer Selbstanalyse.

Schauen Sie im Folgenden, wie die vorgestellten Methoden aus Modul 4 mit Ihrer Lern-Persönlichkeit zusammenhängen und was das für Ihr Lernen bedeutet:

Zu TQ3L und Lern-Persönlichkeit

Zunächst können Sie sich bezüglich der TQ3L-Methode noch einmal mit Ihrer Fragehaltung („Question") beschäftigen. Erinnern Sie sich: In Modul 4.1.1 sollten Sie sich am Beispiel Ihrer Lieblings-Fernsehserie überlegen, was in der letzten Folge geschah. Passen Ihre Gedanken und Erinnerungen vielleicht zu den im Folgenden genannten, für die verschiedenen Persönlichkeitstypen vorherrschenden Fragekategorien?

Fragepräferenzen der vier Lern-Persönlichkeitstypen:

„Rote" Persönlichkeit (Persönlichkeit mit hohem ROT-Anteil)

Was?
...ist in der letzten Sendung geschehen?
...konnte der Held gewinnen?
...für Absichten verfolgen die Personen?

„Gelbe" Persönlichkeit (Persönlichkeit mit hohem GELB-Anteil)

Wer?
... kommt neu in die Sendung?
... scheidet aus?
... mit wem?

„Grüne" Persönlichkeit (Persönlichkeit mit hohem GRÜN-Anteil)

Wie?
... wird der Held das Problem (nicht) lösen?
... können sie wieder zusammen kommen?
... wird es enden?

„Blaue" Persönlichkeit (= Persönlichkeit mit hohem BLAU-Anteil)

Warum?
... konnte der Held das Problem lösen?
... handelt diese Person so und nicht anders?
... gefällt mir diese Serie so gut?

Zu Methoden zur Wissens-Aufnahme und Lern-Persönlichkeit

Wenn Sie sich noch einmal mit den in diesem Modul angebotenen Methoden zur Wissens-Aufnahme beschäftigen möchten, finden Sie im Folgenden Hinweise für Ihren Lern-Persönlichkeitstyp:

„Rote" Lern-Persönlichkeit

Markieren mit System
▷ klare Regeln entwerfen und anwenden

Mitschriften
▷ Standardisierte Vortragsmitschrift, linear oder Mind Map

PQ4R-Methode
▷ üben und anwenden

Interview mit mir selbst ...
▷ außer Was-Fragen, auch Wer-, Wie- und Warum-Fragen stellen.

Hierarchischer Abrufplan
▷ oder Mind Map

Sachkarten
▷ evtl. auch am PC

„Gelbe" Lern-Persönlichkeit

Markieren mit System
▷ klare Regeln entwerfen und durchhalten

Mitschriften
▷ Standardisierte Vortragsmitschrift, eher Mindmap. Nicht ablenken lassen, nicht verkünsteln.

PQ4R-Methode

▷ üben, anwenden und mit Mind Map kombinieren. Alternativ: Text-Bild-Methode

Interview mit mir selbst

▷ außer Wer-Fragen, auch Was-, Wie und Warum-Fragen stellen

Hierarchischer Abrufplan

▷ bunt oder gleich als Mind Map

Sachkarten

▷ evtl. auch mit Bildern und Mind Maps
▷ Mit den Karten kann man in Gruppen Lernspiele veranstalten.

„Blaue" Lern-Persönlichkeit

Markieren mit System

▷ klare Regeln entwerfen – nicht zu detailliert - und anwenden

Mitschriften

▷ standardisierte Vortragsmitschrift, linear, nicht wörtl. festhalten

PQ4R-Methode

▷ üben und anwenden; PQ3R ist nicht Selbstzweck, sondern „nur" Mittel zum Zweck

Interview mit mir selbst ...

▷ außer Warum-Fragen, auch Wer-, Wie- und Was-Fragen stellen.

Hierarchischer Abrufplan

▷ nicht zu detailliert werden

Sachkarten
▷ das Minimum kann (oft) das Optimum sein; einfach halten!

„Grüne" Lern-Persönlichkeit

Markieren mit System
▷ klare Regeln entwerfen und beibehalten

Mitschriften
▷ standardisierte Vortragsmitschrift, linear oder nicht-linear, nicht
  verzetteln, nicht ablenken lassen.

PQ4R-Methode
▷ üben anwenden und beibehalten

Interview mit mir selbst ...
▷ außer Was-Fragen, auch Wer-, Wie- und Warum-Fragen stellen.
▷ ggf. in Lerngruppe

Hierarchischer Abrufplan
▷ oder Mind Map

Sachkarten
▷ Mit den Karten kann man mit Freunden Lernspiele veranstalten
  und sich gegenseitig voranbringen.

Hier ist Platz für Ihre Notizen zum Modul – gerne auch als Mind Map:

Modul 5: Wissens-Verankerung

Rerum omnium custos memoria.
Aller Dinge Speicher ist das Gedächtnis.
(Cicero)

In diesem Modul bieten wir Ihnen eine bunte Palette erprobter Methoden, die Ihnen helfen können, das Erlernte besser zu verankern, sodass Sie es jederzeit aktiv anwenden können. Dabei haben wir einige klassische „Paukmethoden" ebenso ausgewählt wie kreative Techniken, die es Ihnen erlauben, den Lernstoff mit bereits Bekanntem besser zu verknüpfen.

5.1 Die Bedeutung der Aktivierung Ihres Vorwissens

Ü51: Welche Faktoren beeinflussen den Lernerfolg Ihrer Meinung nach am meisten? Nummerieren Sie von 1–3.

☐ *Ihre Intelligenz?*
☐ *Ihre Motivation?*
☐ *Ihre Vorkenntnisse?*

mein Faktor

Vielleicht kann Ihnen der folgende Text mit der nächsten Übung einen Hinweis geben:

»Gut bei Kasse mit Hilfe der verpfändeten Juwelen wies unser Held tapfer alle spöttelnden Versuche zurück, ihn von seinem Plan abzuhalten. „Deine Augen trügen Dich", sagte er, „dieser unerforschte Planet gleicht eher einem Ei als einem Tisch." Jetzt suchten drei kräftige Schwestern Beweis; brachen sich mit Gewalt eine Bahn durch unendliche Weiten, doch öfter über turbulente Höhen und Täler. Tage wurden zu Wochen, als viele Zweifler fürchterliche Gerüchte über den Rand verbreiteten. Schließlich kamen aus dem Nichts willkommene geflügelte Kreaturen, die einen unheimlichen Erfolg andeuteten« (Dooling und Lachmann 1971, zit. in ZIMBARDO 1983, S. 271)

123

ich verstehe

Ü52: Haben Sie eine Idee, worum es in dem Text gehen könn-te? Notieren Sie:

....

Auflösung: Im oben angeführten Text von Dooling und Lachmann geht es um Christopher Kolumbus!

Mit diesem Hinweis macht plötzlich alles Sinn: Christopher Kolumbus, verpfändet seine Juwelen, um zu beweisen, dass die Erde eine Kugel ist und keine Scheibe. Mit den drei Schiffen Nina, Pinta und Santa Maria macht er sich auf und nach vielen Tagen und Wochen auf See findet er am anderen Ende der Welt Land, was er aus dem Auftauchen der Vögel schließt.

Wenn wir an etwas anknüpfen können, das wir bereits wissen, ist unser Lernerfolg erstaunlich hoch. Vorkenntnisse haben den größten Einfluss auf den Lernerfolg.

WAHL (2007, S. 2ff.) berichtet von Forschungsergebnissen, die zu folgendem Ergebnis kamen:

▷ Vorkenntnisse haben den größten Einfluss.

▷ Den zweitgrößten Einfluss hat die Intelligenz.

▷ Die Motivation spielt die geringste Rolle.

Daraus ergibt sich, dass der Aktivierung von Vorwissen eine besondere Bedeutung zukommt!

Ihre Motivation im Sinne von Zielsetzungen (vgl. Modul 1) ist und bleibt selbstverständlich trotzdem wichtig!

5.2 Methoden zur Aktivierung des Vorwissens

Da dem Vorwissen eine so bedeutende Rolle zukommt, lohnt es sich, zu Beginn eines Lernvorhabens Zeit zu investieren, um das Vorwissen nutzbar zu machen, es zu aktivieren.

Dazu gibt es eine Reihe bewährter und kreativer Methoden:

5.2.1 Brainstorming

<u>Ziel:</u> Innerhalb kurzer Zeit möglichst viele Ideen produzieren.

<u>Zeit:</u> Zwischen 20 Minuten bis zu einer Stunde.

<u>Durchführung:</u> Auf Zuruf (klassische Form) oder auf „wandernden" Zetteln.

<u>Vorgehen:</u> Das Thema wird zunächst - möglichst als Frage(n) formuliert - klar beschrieben (visualisiert); Verständnisfragen werden vorab geklärt. Die vier Regeln des Brainstormings lauten:

▷ Spinnen erwünscht!

▷ Keine Kritik – Killer-Phrasen verboten!

▷ Quantität vor Qualität!

▷ Aufgreifen und Weiterführen aller Gedanken erwünscht (nicht nur erlaubt)!

Die gesammelten Ideen können **später** durch eine **Mind Map** oder einen **Hierarchischen Ablaufplan** (vgl. Modul 4) strukturiert werden.

5.2.2 W-Fragen; Fragenfächer

Eine einfache aber wirkungsvolle Methode, um sich einem Thema zu nähern, ist der sog. Fragenfächer. Mit diesem Fächer wird eine formulierte Frage gezielt in Unterfragen zerlegt.

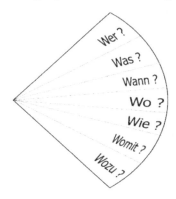

Abb. 14: modifizierter Fragenfächer nach: „Jugend debattiert",
Gemeinnützige Hertie-Stiftung

125

Einerseits wird dabei klar, welches Vorwissen man bereits hat, andererseits zeigt der Fragenfächer, wo man noch Informationen sammeln muss.

Ein Beispiel: „Anton stört!"

▷ Wer ist Anton?   ▷ Was versteht man unter stören?

▷ Wann stört Anton?   ▷ Wo stört Anton?

▷ Wie stört Anton?   ▷ Womit stört Anton?

▷ Wozu stört Anton?

5.2.3 ABC-Listen

Um herauszufinden, was man schon über ein Thema weiß, schlägt BIRKENBIHL (2004, S. 21 ff) die Erstellung von ABC-Listen vor. Das ist ein wenig wie „Stadt, Land, Fluss". Haben Sie das gerne gespielt?

Anleitung: Sie erstellen eine Liste von A bis Z und notieren zu jedem Buchstaben einen Begriff, der Ihnen spontan einfällt. Wenn Sie beispielsweise eine ABC-Liste zum Thema Tiere erstellen, könnte für „A" Affe stehen und für „Z" Zebra. Zu jedem Ihrer Begriffe könnten Sie nun weitere ABC-Listen erstellen ... usw.

ABC-Listen

Ü53: Versuchen Sie einmal, eine solche Liste zum Thema „Säugetiere" zu erstellen!

A	J	S
B	K	T
C	L	U
D	M	V
E	N	W
F	O	X
G	P	Y
H	Q	Z
I	R	

Diese Methode eignet sich auch sehr gut, um in Gruppen das gemeinsame Vorwissen zu aktivieren! Sie werden sehen, keiner weiß alles – aber alle gemeinsam wissen viel!

5.2.4 Wortbilder

BIRKENBIHL (2004, S. 23ff) führt eine weitere kreative Idee an: die Wortbilder. Sie machen damit eine Art Brainstorming mit sich selbst. Beim „Befüllen" des Wortbildes ist Zeichnen erlaubt, sogar erwünscht. Nehmen wir als Beispiel den Begriff URLAUB!

Mit den neuen Begriffen können Sie weitere Wortbilder erstellen... usw. Auch diese Methode eignet sich hervorragend für die Arbeit in Gruppen!

Wortbild
„Erfolg"

Ü54: Entwerfen Sie ein eigenes Wortbild zum Thema „Erfolg".

5.3 Vorwissen und Gedächtnis

Die essentielle Bedeutung der Wechselwirkungen zwischen Ihrem Vorwissen und verschiedenen Gedächtnisprozessen lässt sich vereinfacht so darstellen:

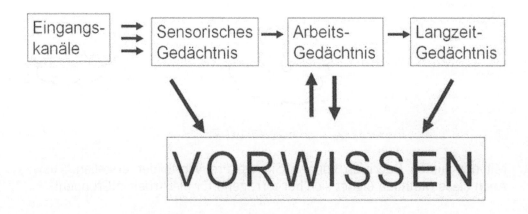

Abb. 15: Vorwissen und Gedächtnis (in Anlehnung an EDELMANN 2000, S. 168ff)

Im sensorischen Gedächtnis werden die über die Eingangskanäle (Modul 4) aufgenommenen physikalischen Signale mithilfe des Vorwissens zu Interpretationen umgeformt.

Die wichtige Bedeutung für das Lernen besteht darin, dass der Lernende Aufmerksamkeit aufbringen muss, um relevante Informationen über die Eingangskanäle aufzunehmen, bevor diese Inhalte wieder gelöscht sind (durchschnittliche Speicherdauer der sensorischen Informationen: ca. 2 Sekunden).

Umgekehrt gilt, dass die Eingangskanäle alle Informationen herausfiltern, auf die Sie Ihre Aufmerksamkeit richten. Deshalb erscheint es uns oft so, dass zielorientierten und motivierten Menschen alles nur so zufliegt. Wer zielorientiert ist, ist aufmerksam und bemerkt Möglichkeiten, die er sonst nicht „gesehen" hätte.

Der kleine Teil an sensorischen Informationen, der zur weiteren Verarbeitung ausgewählt worden ist, wird an das Arbeitsgedächtnis weitergeleitet. Im Arbeitsgedächtnis werden diese Informationen mithilfe des Vorwissens in ein bedeutungshaltiges Wahrnehmungsmuster transformiert und verknüpft.

Das Arbeitsgedächtnis hat zwei sehr bedeutsame Begrenzungen:

1) *Begrenzte Speicherdauer*

Informationen können nur ca. 20-30 Sekunden gespeichert werden. Sollen sie länger zur Verfügung stehen, müssen sie wiederholt werden (Bsp. Merken einer Telefonnummer). Zu beachten ist, dass diese „erhaltende Wiederholung" (laut oder leise wiederholen) wenige bis gar keine Beziehungen zum Langzeitgedächtnis herstellt, sodass diese Informationen schnell wieder verloren gehen.

2) *Begrenzte Speicherkapazität: Die magische Zahl 7*

Ein Erwachsener kann ca. 7 +/- 2 (sog. Millersche Zahl) Einzelinformationen gleichzeitig im Arbeitsspeicher verfügbar halten. Diese enge Grenze lässt sich durch das Bilden von sinnvollen Informationseinheiten, sog. Chunks, überwinden (chunking).

Bei Kindern ist die Behaltenskapazität wesentlich geringer: Während sich Dreijährige nur drei Einzelinformationen kurzzeitig merken können, liegt die Behaltensleistung bei Siebenjährigen schon bei fünf Einzelinformationen während Elfjährige etwa die gleiche Menge wie Erwachsene behalten können.

Sie können mehr Informationen aufnehmen, wenn Sie die einzelnen Informationen (Chunks) zu sinnvollen Gruppen zusammenfassen. Die Zahl 23 z. B. enthält zwei Bedeutungs-Einheiten (2 und 3), die aber als eine verarbeitet werden. Das erklärt, warum wir uns die längeren Handynummern merken können. Wir merken uns beispielsweise nicht 0 1 7 1 2 8 8 2 5 6 x x, sondern eher (0171) 288 56 xx. Auf diese Weise müssen wir statt der 11 Einzelziffern nur 4 Chunks (Zahlenblöcke) behalten.

Kommen über die 7 +/- 2 hinaus weitere Einheiten dazu, werden vorhandene gelöscht.

Jede Ablenkung benötigt Arbeitsspeicher. Deshalb ist es so wichtig, dass wir beim Arbeiten möglichst wenig gestört werden!

Neben der erhaltenden Wiederholung macht im Kurzzeitgedächtnis die aufarbeitende Wiederholung (elaborierendes Wiederholen) Sinn, denn dabei macht sich der Lernende die Bedeutung neuer Informationen bewusst, indem er diese mit bereits bekannten Inhalten aus seinem Langzeitgedächtnis in Beziehung setzt, d. h. der Lernende verbindet Neues mit vorhandenem Wissen (Bedeutung des Vorwissens!) und ein Wissensnetzwerk entsteht.

Das Langzeitgedächtnis dient nicht nur der Behaltensleistung, sondern es soll Informationen bereitstellen, um Antworten aus logischen Schlüssen ableiten zu können.

*Fertigen Sie sich ein „**Bitte nicht stören**" Schild an, das Sie an Ihre Tür hängen, wenn Sie lernen.*

▷ Besprechen Sie mit allen Familienmitgliedern, Nach-
barn, WG-Mitbewohnern etc. den Vorteil dieses Schil-
des.

▷ Achten Sie unbedingt darauf, sich nicht hinter diesem
Schild zu verstecken! Wenn Ihr Umfeld nicht mehr
daran glaubt, dass Sie wirklich lernen, geht der Effekt
nach und nach verloren!

▷ Wenn Sie nicht gerne basteln, bitten Sie doch im nächsten Hotel um ein solches Schild. Sie können es durch
Bekleben an Ihre Ansprüche anpassen.

Ich lerne! Bitte nicht stören!

5.3.1 Gedächtnisleistung und das Lern-Plateau

Die meisten Menschen haben die Erfahrung gemacht, dass der Lernerfolg
(oder auch die Behaltensleistung) nicht linear mit der Zeit steigt. Oft gibt es
Einbrüche und Durststrecken.

*Ü55: Wie, glauben Sie, verläuft die Lernkurve, der Weg zur
Lernmeisterschaft?*

Zeichnen Sie eine Verlaufskurve in das Koordinatensystem ein.

Lernkurve

Erfolg

Zeit

Stellen Sie sich einen kleinen unscheinbaren Trampelpfad vor! Irgendwann hat jemand ihn erstmals begangen, vielleicht als Abkürzung. Wenn er sich bewährt, werden immer mehr Menschen diesen Pfad benutzen.

Schließlich könnte es sein, dass man beschließt, einen fest angelegten Weg aus dem Pfad zu machen.

Doch was geschieht jetzt? Alle, die bisher den Pfad als Abkürzung genutzt haben, werden aufgehalten. Bauarbeiter und Maschinen verstellen den Pfad und es geht vielleicht langsamer als vorher.

Erst, wenn alle Baumaßnahmen abgeschlossen sind, geht es wieder voran, und sogar besser als vorher.

Dieser Vorgang mag sich wiederholen, bis eine Schnellstraße oder eine Autobahn aus dem Pfad wurde. Jedes Mal kommt es während der Bauphasen zu Behinderungen und Staus - nichts scheint mehr zu gehen.

Dies ist eine Metapher für die Vernetzung von Informationen in unserem Gehirn: Je häufiger die Verknüpfungen (die Synapsen) zwischen Nervenzellen benutzt werden, desto schneller können Sie Informationen übertragen. Damit dies möglich wird, müssen weitere Nervenzellen angeschlossen werden – es beginnen „Umbaumaßnahmen" im Gehirn!

Nichts scheint mehr zu gehen (vgl. BIRKENBIHL 2003, S. 87 f). Tatsächlich aber ist das Gehirn in diesen Phasen sehr aktiv und bereitet eine Optimierung der Nervenzellverknüpfungen vor. Ist dieser Vorgang abgeschlossen, kann es wieder mit Volldampf vorangehen! Wir nennen eine solche scheinbare Stagnation ein „Lern-Plateau"! (vgl. LEONARD 2006, S. 22 ff)

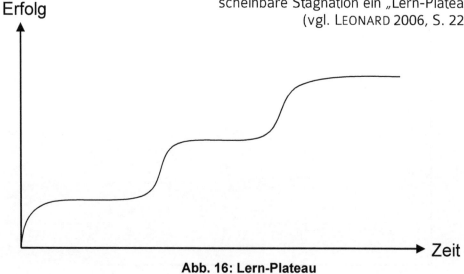

Abb. 16: Lern-Plateau

Lernen Sie das Lern-Plateau zu lieben!

Manchmal sind solche Lernplateaus die Folge davon, dass wir uns überfordert haben. Wenn es also trotz Muße und Geduld nicht vorangehen will, dann treten Sie eine Stufe zurück und nehmen sich ab sofort kleinere Abschnitte vor, die Sie im Sinne der Salamitaktik leicht(er) bewältigen können. Oder versuchen Sie es mit der folgenden Methode.

5.4 Gedächtnistechniken

Ü56: Jeden Tag haben Sie mit Geld zu tun. Bitte zeichnen Sie die Vorderseite der 1€- Münze. Vergleichen Sie Ihre Zeichnung mit Zeichnungen anderer und schließlich mit der Münze im Original!

grandioses Gedächtnis?!

Wahrscheinlich weichen die verschiedenen Bilder der 1-€-Münze vom Original mehr oder weniger ab. Dennoch sind Sie problemlos in der Lage, derartige Münzen - ohne nachzudenken - aus einer Vielzahl anderer heraus zu sortieren.

Es hat sich gezeigt, dass Menschen über ein erstaunliches Bildgedächtnis verfügen. Wie man am Beispiel der Münze erkennen kann, speichert das Gehirn aber nicht „fotografisch genau" ab, sondern hebt bestimmte Informationen hervor, während andere Informationen im Hintergrund verschwimmen. Die Bilder werden also aktiv konstruiert, bevor sie gespeichert werden.

Im Gegensatz zu abstrakten Begriffen, die bei Nichtgebrauch schnell vergessen werden, bleiben Bilder sehr lange erhalten. Manche Studien legen sogar nahe, dass die Erinnerungsleistung für Bilder mit der Zeit zunimmt (vgl. Metzig u. Schuster 2009, S. 51 ff).

Viele Lern- und Gedächtnistechniken machen sich die Fähigkeit des menschlichen Gehirns, in Bildern zu denken, zunutze.

Eine bekannte Metapher verwendet BIRKENBIHL (2000, S. 273 f):

Zweibein saß auf Dreibein und aß Einbein,

da kam Vierbein und nahm Zweibein das Einbein weg!

Da schlug Zweibein das Vierbein mit Dreibein

und Vierbein gab das Einbein wieder her!

Auf den ersten Blick machen diese Informationen wenig Sinn. Wir gewinnen keine Vorstellung von der Bedeutung, die Spur verweht und wir vergessen die Informationen.

Stellen Sie sich nun Folgendes vor:

Ein Mann sitzt auf einem dreibeinigen Schemel und verspeist einen Hühnerschlegel. Da kommt ein Hund und schnappt sich den Schlegel. Der verärgerte Mensch nimmt den Schemel und schlägt nach dem Hund. Da gibt der Hund den Schlegel wieder her.

In Ihrer Vorstellung ist nun eine Geschichte entstanden, die mit Bildern verknüpft ist. Sie können die „unsinnige" Information sogar in der richtigen Reihenfolge wiederholen.

Solche Verknüpfungen macht sich die z. B. die Geschichtentechnik zunutze.

5.4.1 Geschichtentechnik

seeehr merk-
würdig!

Ü57: Merken Sie sich bitte die folgenden Begriffe als Geschichte:

▷Pfeife   ▷Rasierapparat   ▷Hund

▷Zitrone   ▷Hausmeister   ▷Geige   ▷Füller

▷Feuerzeug   ▷Laptop   ▷Ball

Machen Sie daraus eine spannende und **merk-würdige Geschichte**, die sie hier notieren!

seeehr merk-würdig!

....

....

....

....

....

....

Nun? Können Sie sich mithilfe der Geschichte an alle Begriffe erinnern? Erfahrungsgemäß ist das jetzt ganz einfach!

Manche Begriffe erzeugen direkt Bilder, z. B. der Begriff „Geige". Andere Begriffe sind abstrakt und müssen über Assoziationen bildhaft erschlossen werden. „Recht" löst u. U. die Assoziation von der Göttin Justitia mit ihrer Waage aus. „Freiheit" könnten Sie mit der Freiheitsstatue verknüpfen. Hier wird erneut deutlich, welch zentrale Bedeutung dem Vorwissen zukommt.

Auch in einer Fremdsprache kann man die Geschichtentechnik verwenden, z. B. um Vokabeln, die ähnlich klingen, zu unterscheiden:

Betty Botter bought some butter,
"But," she said, "this butter's bitter;
If I put it in my batter,
It will make my batter bitter;
So she bought a better butter,
Better than the bitter butter
and it made her batter better.

Hier kommt sogar ein Versmaß hinzu, das unsere Behaltensleistung zusätzlich fördert (s. Reimtechnik).

135

5.4.2 Loci-Methode

Die Idee, Informationen an Orte (Loci lat. Orte) zu knüpfen, wird dem griechischen Philosophen SIMONIDES (500 v. Chr.) zugeschrieben. Dieser war als Gast zu einem Essen eingeladen. Als er das Haus kurz verließ, stürzte dieses zusammen und begrub alle Gäste unter sich. Beim Bergen der Toten konnte man diese nicht mehr erkennen. Simonides aber, der sich erinnerte, wer wo neben wem gesessen hatte, konnte die Identifizierung vornehmen.

So dramatisch muss es beim Lernen nicht immer zugehen ...

Benutzen Sie diese Technik z. B. so:

▷ Stellen Sie sich einen gut bekannten Weg (eine Straße) oder Ihre Wohnung vor,

▷ gehen Sie - im Geist - diesen Weg entlang und

▷ legen Sie an markanten Punkten die „Dinge", die Sie sich merken möchten, nach und nach in der gewünschten Reihenfolge ab.

▷ Dann schreiten Sie den Weg - geistig - ein zweites Mal ab und

▷ sammeln die „Dinge" - eins nach dem anderen - wieder ein.

Sie können auch den eigenen Körper zum Verknüpfen verwenden, man nennt dies eine Körperliste und legt die zu merkenden Inhalte dann hier ab: Haare, Schläfen, Nase, Mund, Kinn, Hals, Brust, Bauch, Beine, Füße.

mit dem Kör-
per merken

Ü58: Wenn Sie übers Wochenende einen Ausflug machen wollen, gibt es immer Dinge, die Sie auf keinen Fall vergessen wollen. Notieren Sie die 10 wichtigsten Dinge. Anschließend verknüpfen Sie diese bildlich mit den oben genannten Körperteilen (Körperliste).

1. .... 2. ....

3. .... 4. ....

5. .... 6. ....

7. .... 8. ....

9. .... 10. ....

Wir werden an späterer Stelle im Buch auf diese Aufgabe zurückkommen.

5.4.3 Lernen von Zahlen

Man verwendet Merkbilder für die Zahlen 1-10 und verknüpft sie mit den zu merkenden Begriffen als Bild. Dadurch wird der Abruf in beliebiger Reihenfolge möglich. Hier ein Beispiel:

1	Baum (1 Stamm)	6	Würfel (6 Flächen)
2	Brille (2 Gläser)	7	7 Zwerge
3	Dreirad (3 Räder)	8	Achterbahn
4	Fenster (4 Ecken)	9	Kegel (alle Neune!)
5	Hand (5 Finger)	10	Zehen (10 Zehen)

Nehmen wir den 1. Weltkrieg als Beispiel. Er begann 1914. Nun müssen Sie zwei Schritte bewältigen:

1. Verbildlichen Sie die Zahlen.

2. Sichern Sie die Reihenfolge, indem Sie sie z. B. an die Körperliste (s. o.) binden.

Aus den Haaren wächst ein Baum (1). Auf Höhe der Schläfen stehen Kegel (9) um den Kopf herum. Aus der Nase ragen die Wurzeln des Baumes (1). Der Mund ist ein viereckiges Fenster (4).

Wer viele Zahlen lernen muss, wie z. B. Gedächtniskünstler, erweitert seine Listen u. U. bis 100 und mehr. Das ist zwar zu Beginn aufwändig, bewirkt aber interessantere und einfachere Bilder.

merken mit Zahlen

Ü59: Welche Geschichte erzählt von Ihrem Geburtsdatum? Notieren Sie, indem Sie Ihre Bilder wie im Beispiel von 1914 beschreiben.

....

....

....

5.4.4 Kennwort-Technik

Statt der Zahlen benutzen Sie als gut bekannte Liste das Alphabet. Knüpfen Sie an jeden Buchstaben ein Tier. Also A, wie Affe oder B wie Bär. Wenn Sie sich Vorgänge in Ihrer Abfolge merken müssen, ersinnen Sie eine Bildergeschichte, in der die Tiere die Akteure sind.

5.4.5 Ankern

Ankern ist das bewusste Verknüpfen eines Reizes mit einer Reaktion. Die Neurobiologen sagen: „Neurons that fire together wire together". (Hebb'sche Lernregel: „Neuronen, die zusammen feuern, verbinden sich"). Mit *Ankern* kann man verschiedene Reaktionen fördern: eine positive Grundhaltung, Abrufen von Informationen ...

Wenn Sie z. B. eine freie Rede halten möchten, können Sie bei der Vorbereitung wichtige Aspekte mit Gegenständen (Reizen) verknüpfen. Verteilen Sie diese Gegenstände unauffällig im Vortragsraum und sie gewinnen beim Anschauen Zugang (Reaktion) zu den verknüpften Informationen.

Machen Sie einen Spaziergang und suchen Sie sich einen schönen handlichen Stein. Machen Sie diesen Stein zu Ihrem „Kraftstein". Nehmen Sie ihn in die Hand, wenn Sie sich konzentrieren wollen, bevor Sie eine Aufgabe angehen oder Sie Mut sammeln wollen. In einer Prüfungssituation wird Ihr Gehirn, sobald Sie den Stein in Ihre Hand nehmen, den Reiz mit Konzentration und Mut verbinden.

Suchen Sie sich drei Gegenstände auf Ihrem Schreibtisch und überlegen Sie sich eine kleine Rede, z.B. anlässlich eines Geburtstages.
Verknüpfen Sie die drei wichtigsten Aspekte, die Sie erzählen möchten, mit den drei Gegenständen.
Probieren Sie den Effekt aus.

5.4.6 Reimtechnik & Eselsbrücken

Esel sind Brücken gegenüber sehr misstrauisch. Kann man auch nur durch einen Spalt nach unten sehen, bewegt sich der sture Esel nicht mehr weiter. Brücken, die so sicher sind, dass sogar ein Esel hinübergeht, nennt man daher Eselsbrücken. (DUDEN Podcast 107)

▷ „He, she, it: das „s" muss mit!"
▷ „Wer nämlich mit h schreibt, ist dämlich!"
▷ „Sieben Fünf Drei – Rom kroch aus dem Ei!"

Sie haben Lust auf mehr? Weitere Eselsbrücken finden Sie auf:

http://www.die-eselsbruecke.de

Eselsbrücken

Ü60: Notieren Sie hier weitere Eselsbrücken, die sie kennen:

....

....

....

Denken Sie sich eine eigene Eselsbrücke aus:

....

....

....

5.5 Behaltens-Erfolg von Wissen steigern

Informationen haben besonders gute Chancen erinnert zu werden, wenn sie...

{   ... am **Anfang** eines Lernabschnittes präsentiert werden

⇔   ... mit vorhandenem Wissen **verknüpft** werden

✳   ... **auffallen**

♡   ... mit **Gefühlen** verbunden sind

}   ... am **Ende** eines Lernabschnitts präsentiert werden

140

Dies können Sie sich gezielt zunutze machen, indem Sie:

▷ häufig kleinere Pausen einlegen

▷ Verknüpfungen erstellen

▷ auf Besonderheiten achten

▷ Hervorhebungen machen

▷ Gefühle als Merkhilfe einsetzen, Farben verwenden

▷ zu Beginn und am Ende eines Lernschritts kurze Zusammenfassung formulieren.

5.5.1 Wiederholen festigt die Erinnerung
(repetitio est mater studiorum)

Nicht alle aufgenommenen Informationen sind uns auch später noch zugänglich: Informationen – vor allem uninteressante - werden vergessen; und das ist vielfach auch gut so.

Ein Pionier der Gedächtnisforschung war HERMANN EBBINGHAUS (1850-1909). Er untersuchte anhand unsinniger Silben, wie schnell man solche Silben vergisst, wenn eine gewisse Zeit dazwischen liegt. Neuere Studien (MICHEL UND NOVAK, 1990) stützen EBBINGHAUS' Ergebnisse und geben folgende Vergessensquoten an:

Inhalt	nach 5 Tagen vergessen	nach 30 Tagen vergessen
Prinzipien und Gesetzmäßigkeiten	1 %	5 %
Gedichte	25 %	50 %
Prosa	53 %	60 %
Sinnlose Silben	78 %	80 %

Anders ausgedrückt: Wenn wir beim Lernen kognitive Prinzipien und Gesetzmäßigkeiten erkannt haben, ist der Behaltens-Erfolg relativ groß. Je schlechter wir die Informationen verknüpfen können, aber auch je geringer unsere emotionale Beteiligung (Interesse) ist, desto schneller vergessen wir Erlerntes. Selbst in solchen – schwierigen – Fällen kann die Behaltensleistung allerdings durch rechtzeitige und vor allem systematische Wiederholung deutlich erhöht werden.

5.5.2 Optimaler Zeitpunkt für Wiederholung

(nach Buzan 1993, S. 60 ff)

Zunächst ist eine wichtige Basis für Ihren Behaltens-Erfolg das Formulieren einer Zusammenfassung des Stoffs am Ende eines jeden Lernabschnitts (vgl. Modul 4 PQ4R-Methode). Danach gilt:

Die optimalen Zeitpunkte für die Wiederholung des Lernstoffs sind dann gegeben, wenn die Erinnerung nachzulassen beginnt.

1. **Wiederholung:** nach etwa 1-2 Tagen

2. **Wiederholung:** nach etwa einer Woche

3. **Wiederholung:** nach etwa einem Monat

4. **Weitere Wiederholungen:** 6 Monats-Abstand, vor Prüfungen

Versuchen Sie es dabei nicht mit Druck, sondern mit Muße. Lassen Sie ihrem Gehirn ausreichend Zeit, Verknüpfungen herzustellen!

5.5.3 Die 5-Fächer Lernkartei – das Widerspenstige zähmen

Sehr abstrakte Begriffe und auch bestimmte Vokabeln, die wir schlecht behalten, erscheinen uns manchmal sehr „widerspenstig". Soweit die Inhalte wirklich wichtig sind, lohnt es sich, beim Wiederholen zunächst Gedächtnistechniken (z. B. Geschichten, Bilder, Metaphern etc.) einzusetzen. Falls das nicht ausreicht (und erst dann), hilft Ihnen eine „Einpaukmaschine".

Als konstruktive Lösung für das Problem des Vergessens hat SEBASTIAN LEITNER (2007, S. 197 ff) das Konzept der Lern-Kartei entwickelt. Deren geniale Lösung besteht darin, den Stoff – entsprechend seiner Behaltens-Quote – unterschiedlich oft zu wiederholen, und zwar den gesamten Stoff mindestens 5-mal, notfalls jedoch so oft, bis auch das hartnäckigste Vergessen überwunden worden ist. Anfangs erfolgte der Einsatz von Lern-Karten speziell für das Vokabel-Lernen. Inzwischen wissen wir: Lern-Karten sind für jeglichen „Paukstoff" bestens geeignet, da dieses Lernsystem mehrere wichtige Vorteile in sich vereint:

142

▷ Bereits beim Erstellen und Formulieren einer Lernkarte erfolgt Lernen!

▷ Das Behalten wird zunehmend müheloser.

▷ Neuer Lernstoff wird leichter verknüpft.

▷ Das Wissen wächst kontinuierlich.

▷ Man hat regelmäßige Erfolgserlebnisse.

▷ Mit dem Erfolg nimmt die Motivation zu.

▷ Lernen im Team ist nicht nur möglich, sondern macht Spaß
(auch und gerade wegen des möglichen Wettbewerbscharakters).

Ausgangspunkt des Lernkarten-Konzepts ist die Erarbeitung von Lern-Fragen mit Antworten, die jeweils auf die Vorder- und Rückseite einer Karte geschrieben werden. Aufgrund der Überlegungen bei der Auswahl der Lernfragen und beim Schreiben der Fragen und Antworten treten bereits die ersten Lern-Erfolge ein.

Die erstellten Lernkarten werden in einem Kartei-Kasten mit 5 Fächern abgelegt, sodass der Stoff systematisch wiederholt werden kann. Es gibt auch entsprechende Computerprogramme.

Neues Wissen wird in Frage und Antwort schriftlich auf je einer Karte dokumentiert. Diese Lern-Karten werden zunächst im Fach I der Lern-Kartei abgelegt. Das Besondere ist nun die Systematik der Wiederholungs-Intervalle und die unterschiedliche Wiederholungs-Häufigkeit, und zwar unter Berücksichtigung der (Nicht-)Behaltens-Quote:

Kurz-Anleitung

Für alle widerspenstigen Lern-Inhalte wird eine Lern-Karte (mit Frage und Antwort) erstellt.

1. Alle neuen Karten kommen in Fach 1.

2. Fach 1 wird täglich wie folgt bearbeitet:

▷ Frage lesen   ▷ Antwort überlegen   ▷ Karte umdrehen

▷ Richtigkeit der eigenen Antwort kontrollieren.

☺ die Karten mit richtigen Antworten wandern in Fach 2.

☹ die Karten mit falschen Antworten bleiben in Fach 1.

(Dadurch wird so lange wiederholt, bis der Stoff sitzt; erst dann wandert die Karte weiter!)

3. Wenn das zweite Fach voll ist, nimmt man sich diese Karten erneut vor!

☺ Karten mit richtigen Antworten wandern in Fach 3.

☹ Karten mit falschen Antworten wandern zurück in Fach 1.

4. Die Fächer 3 bis 5 werden entsprechend bearbeitet, spätestens, wenn sie voll sind.

5. Wiederholen lässt sich auch im Team, was u. U. – auch als Wettbewerb – Spaß macht.

Und bitte langweilen Sie Ihr Gedächtnis nicht, schreiben Sie also bitte nie Lernkarten für Dinge, die Sie schon wissen! Diese Methode dient ausschließlich den widerspenstigen Lern-Inhalten! Ansonsten leidet - aufgrund der fehlenden Herausforderung - die Motivation.

Lernkartei-Kästen gibt es in unterschiedlichen Variationen (z. B. DIN A7 und A8). Kästen aus Pappe in A8 gibt es beim AOL-Verlag. MemoPower bietet Lernkartei-Kästen aus Kunststoff (A7), vor allem aber eine bewährte und in vieler Hinsicht vorteilhafte Software für die Erstellung professioneller Lernkarten. (www.aol-ver-lag.de; www.memoPower.de)

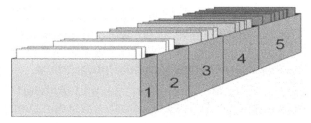

Abbildung 17: Lernkarteikasten (nach SEBASTIAN LEITNER, 2007, S. 97 f)

Eine gute Zusammenfassung über die Möglichkeiten des Lernkartei-Systems gibt REINHOLD VOGT im Internet unter: www.memocard.de.

Eine moderne, digitale Methode gibt es auch: virtuelle Lernkarteiboxen bzw. –Karten, die man auf dem Smartphone immer dabei hat und so zu jeder Zeit und an jedem Ort nutzen kann.

Auch existieren Lernkarteien als Computerprogramme, und zwar als Freeware oder Shareware, was in mehrfacher Hinsicht Vorteile hat: Wiederholen am PC ist, wie Erfahrungsberichte zeigen, bei manchen Menschen motivierender und effektiver als das Arbeiten mit manuellen Karten!
Zusätzlicher Vorteil der meisten Smartphone- und Computerprogramme: sie planen die Wiederholungsintervalle von vornherein mit ein!

144

Übrigens: Lern-Karten und -Dateien gibt es auch mit bereits vorgefertigten Inhalten zu kaufen. Allerdings sind eigene, also selbst geschriebene Lernkarten besonders *EffEff* – effektiv und effizient. Denn ein wichtiger Lern-Erfolg ist bereits mit der Auswahl sowie der Formulierung der Frage und der zutreffenden Antwort verbunden, nicht zuletzt schon beim Schreiben, sowohl manuell als auch über eine Tastatur.

Sie werden sich vermutlich fragen: Welche Eigenschaften sollte ein modernes *EffEff* Lernkartei-System haben? Unsere Antwort:

1) Freie Editierbarkeit – ggf. mit Einbindung von Bildern

2) Niedriger Preis bzw. Freeware

3) Verfügbare Apps (iTunes, Andro, Windows)

4) Lernen überall: Ggf. stehen die Informationen in einer Cloud und können dann zwischen stationären und mobilen Systemen frei ausgetauscht werden.

> *Sie müssen auch bei manuellen Lern-Karteien nicht notwendigerweise einen Karteikasten benutzen! Nehmen Sie farbige Karteikarten und benutzen Sie sie als Trennmarkierung, analog zu den Fächern. Mit einem Gummiband gesichert, kann Sie auch eine manuelle Lern-Kartei überall hin begleiten.*

5.5.4 „kippple"

Erstellen Sie doch einfach Ihr eigenes Online-Quizz mit individuellen Lern-Inhalten. Wenn Sie z. B. die weitverbreitete App „Quiz-Duell" mögen, werden Sie diese Form von spielerischem Lernen per Smartphone lieben. Zusammen mit Ihrer Lerngruppe, Ihrer Klasse, Ihrem Kurs oder Freunden und Fremden können Sie – ähnlich dem Erstellen der zuvor beschriebenen Lernkarteikarten – eigene Themengebiete festlegen und mit Inhalten füllen.

Das *Kippple education modul* ist ein offenes System, das zahlreiche Varianten bezüglich der Erstellung, Nutzung (Lernphase mit verschiedenen „Disziplinen") und Auswertung (Lernfortschritt und Vergleich mit anderen) zulässt. Sie „pauken" Ihren Lernstoff spielerisch in einer beliebig großen Gruppe oder auch alleine.

Der Nachteil, dass sich Anzahl und Intervalle der Wiederholungen nicht bestimmen lassen, wird durch den hohen Aufforderungscharakter des Spiels und die damit einhergehende hohe Anzahl an Wiederholungen kompensiert. Nach Auskunft der Entwickler ist zudem eine Erinnerungsfunktion in Planung, die per push-Nachricht zum entsprechend sinnvollen Zeitpunkt zum Spielen und damit Wiederholen des Lernstoffs auffordert. Die Freeware finden Sie hier: www.kippple.com

5.5.5   Sachkarten und Mind Maps – ein starkes Team!

Sachkarten (Modul 4.3.4), ob mit oder ohne 5-Fächer-Lernkartei, helfen Ihnen vor allem dabei, Detailwissen aufzubereiten und zu lernen. Dies bewerkstelligt insbesondere die linke Hirnhälfte, die sich ja bevorzugt mit analytischen und strukturierenden Themen beschäftigt.

Jeder Lernstoff steht aber im Zusammenhang mit anderen Themen. Es ist daher notwendig, auch das „Große und Ganze" zu sehen und den Lernstoff so im Zusammenhang zu begreifen. Dies ist die Stärke der rechten Hirnhälfte und deshalb sollten Sie den Stoff entsprechend aufbereiten.

Mind Maps ermöglichen es Ihnen, die Details auch im Zusammenhang zu betrachten.

Kombinieren Sie beide Methoden, indem Sie über den Lernstoff eine (oder mehrere) Mind Map(s) anfertigen und die dort verwendeten Schlüsselbegriffe mithilfe Ihrer Sachkarten vertiefen.

Legen Sie einen großen Bogen Packpapier (das gibt es auch farbig) auf den Fußboden und bringen Sie Ihre Karteikarten auf dem Papierbogen in eine Struktur, die Ihnen logisch erscheint. Benutzen Sie das Papier, um darauf eine Mind Map zu erstellen, die Ihre Struktur gut wiedergibt ...

... Das Papier können Sie später zusammengefaltet aufbewahren und immer wieder zum Üben und Wiederholen in Kombination mit den Sachkarten hervorholen.

5.5.6 MEMOflip – eine handlungsorientierte Alternative

Auch das Basteln einer sogenannten MEMOflip kann als alternative Kombinationstechnik zur Wissensverankerung genutzt werden.

Die Idee: Speziell gefaltete Blätter ermöglichen es, von außen das Thema und die zugehörige (selbst erstellte) Gliederung zu sehen. Aufgeklappt sind dann die jeweiligen Inhalte zu den einzelnen Gliederungspunkten zu sehen, wobei dort kreative Methoden wie ABC-Listen, Wortbilder oder Mind Maps verwendet werden sollten.

Ein intensiver Konstruktionsprozess in Form von Organisation und Anordnung des Lernstoffs steht dabei im Fokus, die Vorteile verschiedener, vorher besprochener Methoden werden zudem genutzt.

JENS VOIGT und KARIN HOLENSTEIN – Lehrer, die diese Technik im Unterricht benutzen – haben Videos ins Internet gestellt (Youtube-Suchbegriff: „Memoflip").

5.6 Lernen und Wissen verankern – alleine oder im Team?

Der Mensch wird auch als "animal sociale" – als Gemeinschaftswesen – bezeichnet. Dies gilt für manche Persönlichkeitstypen mehr, für andere weniger. Viele empfinden das Lernen durch Tun und das Lernen in der Gruppe als angenehmer, oft sogar einfacher als das Allein-Lernen. Hinzu kommt, dass jeder Mensch über mehrere Lernwege verfügt. Insofern stellt Gruppen-Lernen mindestens ergänzend eine wertvolle Bereicherung dar. Dabei ist es wichtig, sowohl die Vorteile als auch die Gefahren zu erkennen: Gefahr erkannt, Gefahr gebannt!

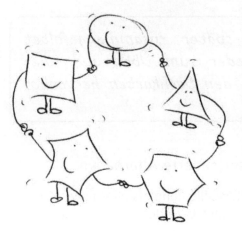

Teams bieten die Voraussetzung für hervorragende Arbeit. Dies gilt insbesondere dann, wenn alle Verhaltens-Komponenten der unterschiedlichen Persönlichkeits-Strukturen (vgl. Einleitung) in je einer starken Ausprägung im Team vorhanden sind und alle sich gegenseitig in ihrer Andersartigkeit akzeptieren und wertschätzen!

Eine Gefahr der Arbeit im Team, vor allem für sehr kommunikative Menschen, ist allerdings das Ausufern zum "Quatsch-Club". Dann bitte ernsthaft Änderung oder „Kündigung" erwägen!

Setzen Sie die Team-Mitglieder entsprechend ihrer Stärken ein. Dies wirkt zusätzlich motivierend.

Werden die Team-Mitglieder situationsgerecht und entsprechend ihrer Stärken eingesetzt, so wirkt dies nicht nur motivierend für den Einzelnen; es wirkt sich auch günstig auf das Ergebnis aus. Für eine tiefgehende Beschäftigung mit diesem Phänomen bietet sich der Besuch des Seminars P *Erfolg durch Persönlichkeit* der STUFEN-Reihe an. Sie können natürlich auch das entsprechende Buch von Wagner / Kalina (vgl. Literatur-Verzeichnis) lesen.

Für qualifizierte Team-Arbeit gibt es erprobte Möglichkeiten, z. B. die verschiedenen Methoden des „Instrumentierten Gruppen-Lernens" (IGL), insbesondere die sogenannte GLGM-Methode.

5.6.1 GLGM-Methode

Gruppen-Mitglieder lehren Gruppen-Mitglieder
(HOLZER et al. 1994, S. 49 ff)

Sehen Sie sich zunächst ein leicht umzusetzendes Beispiel (aus der Literatur-Bearbeitung) an:

1. Jeder Teilnehmer bearbeitet – etwa mit der PQ4R-Methode (vgl. Modul 4.3) – ein Teilthema.
2. Anschließend wird der strukturierte Inhalt der Gruppe vorgetragen.
3. Jeder Teilnehmer formuliert Fragen!
4. In der Gruppenarbeit werden die Fragen gestellt und beantwortet.
5. Am Ende stehen: Vertieftes Aufarbeiten, Aktivieren von Hintergrundwissen sowie die Integration in vorhandenes Wissen.

Jedes Team-Mitglied bringt nicht nur seine Stärken und Nicht-Stärken mit in die Arbeitsgruppe, sondern ggf. auch seine Schwächen – die Übertreibung der jeweiligen Stärke. Daher ist es hilfreich und wichtig, dass sich die Team-Mitglieder zum einen gegenseitig in ihrer Unterschiedlichkeit akzeptieren und zum anderen auch im Hinblick auf die Schwächen Feedback geben, wobei bestimmte Regeln beachtet werden sollten.

Sie könnten zum Beispiel vereinbaren:

▷ den Einsatz der Stärken zu loben
▷ die Nicht-Stärken zu akzeptieren
▷ die Schwächen abzubauen

Hierbei hilft ein „sauberes", d. h. rein fachliches und vor allem konstruktives Feedback ohne Wertung!

Wichtig und motivierend sind v. a. Diskussionen, gegenseitige Information, Klärung von Zweifelsfragen, Vervollständigung und ggf. Austausch von Unterlagen (SVM, Bücher etc.), gegenseitiges Abfragen von Sachkarten (doppelter Lern-Erfolg) und unterstützende Prüfungsvorbereitung.

Vereinbaren Sie Spielregeln im Team, damit Sie effektiv und effizient arbeiten können, etwa:

▷ Wir zeigen uns gegenseitig Wertschätzung und Respekt.
▷ Wir akzeptieren uns gegenseitig.
▷ Wir betrachten Fehler als Lernchancen.
▷ Wir geben uns gegenseitig Feedback.
▷ Wir sind pünktlich.

ich erinner' mich

Ü61: Erinnern Sie sich an Übung 58? Sie sollten sich 10 Begriffe zum Wochenendausflug mittels der Körperliste einprägen. Rufen Sie sich bitte jetzt Ihre Körperliste ins Gedächtnis und notieren Sie die Begriffe, an die sich erinnern:

1. .... 2. ....

3. .... 4. ....

5. .... 6. ....

7. .... 8. ....

9. .... 10. ....

Überrascht Sie das gute Ergebnis? Schön, nicht wahr?

Modul-Rückblick durch die Brille Ihrer Lern-Persönlichkeit

In diesem Modul haben Sie erfahren, wie wichtig es ist, sich bei jeder Wissens-Aneignung klar zu machen, was Sie bereits an Vorkenntnissen zum Thema haben. Das ist ein aktiver Vorgang, für den Sie selbst verantwortlich sind. Sie hatten Gelegenheit, Methoden zur Aktivierung Ihres Vorwissens auszuprobieren: *Brainstorming, Fragenfächer, ABC-Listen, Wortbilder.*

Des Weiteren haben Sie Informationen zu den verschiedenen Gedächtnisprozessen erhalten und verschiedene Tipps und Tricks kennengelernt, die den Weg der Informationen ins Langzeitgedächtnis vorbereiten helfen.

Schließlich konnten Sie unterschiedliche Gedächtnistechniken erproben, die auch von Gedächtniskünstlern verwendet werden. Dazu gehören die *Geschichtentechnik,* die *Loci-Methode,* die *Körperliste,* das *Lernen von Zahlen,* die *Kennworttechnik,* die *Reimtechnik* und die *Eselsbrücken.*

Um den Behaltens-Erfolg langfristig zu sichern, ist die *Wiederholung* das wichtigste Mittel. Sie haben gelernt, wie man *Wiederholung organisiert,* und dass man auch widerspenstigen Lernstoff mithilfe einer 5-Fächer-Lernkartei bewältigen kann.

Die Kombination aus *Karteikarten und Mind Map* ist ein wertvolles Werkzeug, mit dem Sie viel erreichen können. Alternativ können Sie auch MEMOflip erstellen.

Ein kurzer Exkurs zur *Gruppenarbeit* bildete den Abschluss dieses Moduls.

In den bisherigen Modulen haben Sie Methoden erlernt, mit deren Hilfe Sie Ihre individuell-persönlichen Lernziele leichter erreichen.

In den nächsten beiden Modulen geht es darum, das Gelernte in Präsentationen und Prüfungen optimal anzuwenden.

Bevor Sie nun aber zum nächsten Modul gehen, **ziehen Sie bitte jetzt Ihre „Lern-Persönlichkeits-Brille" auf!**

Betrachten Sie die Informationen des Moduls „Wissens-Verankerung" noch einmal im Hinblick auf Ihre Lern-Persönlichkeit.

Helfen kann Ihnen dabei, wie immer, ein erneuter Blick auf das Ergebnis Ihrer Selbstanalyse (Einleitung).

Gehen Sie nun zum Modul zurück und denken Sie einmal besonders über Ihre Einstellung zur Gruppenarbeit nach: Erkennen Sie Zusammenhänge zwischen Ihrer Lern-Persönlichkeit und der Zu- bzw. Abneigung gegenüber dieser Methode? Ob sich solche Zusammenhänge auch bei den anderen Methoden erkennen lassen?

Überlegen Sie in Zukunft bei jeder Lernmethode, die sie kennenlernen, anhand der Erkenntnisse zu Ihrer Lern-Persönlichkeit, inwieweit sie Ihrer Lern-Persönlichkeit und Ihren Präferenzen entspricht.
Damit halten Sie ab jetzt ein starkes Mittel in der Hand, um Methoden auf ihre individuelle Eignung schnell und zuverlässig einzuschätzen.

Mit der nächsten Übung möchten wir Ihnen nun Gelegenheit geben, alle Methoden und Techniken dieses Moduls mit Ihrem Lern-Persönlichkeitstyp zu vergleichen.

meine persönlichen Vorlieben

Ü62: Tragen Sie ein, wie gut Ihnen die beschriebenen Methoden und Techniken zur Wissens-Verankerung gefallen. Welche Erfahrungen haben Sie bisher gemacht? Wenn Sie mit einer Methode oder Technik bisher keine Erfahrung haben, schätzen Sie! Gerne dürfen Sie die nun folgende Tabelle um weitere Methoden ergänzen. Hierfür finden Sie entsprechende Leerzeilen. Auf diese Weise kann die Methodensammlung individuell-optimal erweitert werden.

Bewerten Sie nach dem Notenprinzip von 1(☺) - 4 (☹):

Methode	Punkte
Vorwissen aktivieren durch ...	
▷ Brainstorming	
▷ Fragenfächer	
▷ ABC-Listen (alleine)	
▷ ABC-Listen (Team)	
▷ Wortbilder (alleine)	
▷ Wortbilder (Team)	
Wissensaufnahme vorbereiten ...	
▷ Chunking	
▷ „Bitte nicht stören"	
▷ Das Lern-Plateau lieben	

Gedächtnistechniken ...	
▷ Geschichtentechnik	
▷ Loci-Methode	
▷ Zahlen-Lernen	
▷ Ankern	
▷ Reimtechnik & Eselsbrücken	
Wiederholung strukturieren und organisieren ...	
▷ Wiederholungen planen	
▷ 5-Fächer-Lernkartei	
▷ Kippple	
▷ Mind Maps + Sachkarten (Kombination)	
▷ MEMOflips	
▷ Einzelarbeit	
▷ Gruppenarbeit	
▷ GLGM-Methode	

Eine **mögliche** (!) Zuordnung aller Methoden und Techniken des Moduls hinsichtlich der Lern-Persönlichkeitstypen finden Sie in der folgenden Tabelle. Diese Zuordnung basiert v. a. auf den Erfahrungen der Autoren aus Seminaren und Praxiseinheiten.

Vergleichen Sie nun Ihre Eintragungen von Übung 62!

Erkennen Sie Übereinstimmungen? Berücksichtigen Sie, dass neben Persönlichkeitsaspekten auch die äußeren Umstände (Lerngruppe, Moderator/Lehrer, Uhrzeit usw.) eine bedeutende Rolle für positive oder negative Erfahrungen spielen können.

Und denken Sie – wie immer – daran, dass Sie in der Regel Präferenzen von mehr als einem Persönlichkeitstypus besitzen.

Beispiel:

Methoden	Rot	Gelb	Grün	Blau
▷ Brainstorming	2	1	3	4

Erklärung zur Lesart: Die Methode „Brainstorming" ist für den Lern-Persönlichkeitstypen „Gelb" am besten geeignet, für Typ „Blau" am wenigsten ...

Im Folgenden können Sie nun die Erfahrungswerte mit Ihrer persönlichen Einschätzung vergleichen:

Methoden	Rot	Gelb	Grün	Blau
Vorwissen aktivieren durch ...				
▷ Brainstorming	2	1	3	4
▷ Fragenfächer	2	4	3	1
▷ ABC-Listen (alleine)	2	4	3	1
▷ ABC-Listen (Team)	3	1	2	4
▷ Wortbilder (alleine)	1	3	2	4
▷ Wortbilder (Team)	3	2	1	4
Wissensaufnahme vorbereiten ...				
▷ Chunking	3	4	2	1
▷ „Bitte nicht stören"	1	4	3	2
▷ Das Lern-Plateau lieben	4	3	1	2

Gedächtnistechniken ...				
▷ Geschichtentechnik	3	2	1	4
▷ Loci-Methode	3	4	2	1
▷ Zahlen-Lernen	3	4	2	1
▷ Ankern	1	3	2	4
▷ Reimtechnik & Eselsbrücken	3	1	2	4
Wiederholung strukturieren und organisieren ...				
▷ Wiederholungen planen	2	4	3	1
▷ 5-Fächer-Lernkartei	3	4	2	1
▷ Kippple	2	1	3	4
▷ Mind Maps + Sachkarten (Kombination)	2	3	1	4
▷ MEMOflips	2	4	3	1
▷ Einzelarbeit	2	4	3	1
▷ Gruppenarbeit	3	1	2	4
▷ GLGM-Methode	4	2	1	3

Hier ist Platz für Ihre Notizen zum Modul – gerne auch als Mind Map:

Modul 6: Wissens-Präsentation:

Sechs Schritte zu einer guten Präsentation

mit zwei EXKURSEN:

Präsentations-Medien und Wissenschaftliches Arbeiten

Der Redner muss drei Dinge beachten:
Was er vortragen will,
in welcher Reihenfolge,
auf welche Weise.

(Cicero)

Es gibt viele Situationen in Schule, Beruf und Privatleben, in denen Sie Ihr Wissen präsentieren können oder müssen. Dies kann in schriftlicher oder mündlicher Form geschehen. In diesem Modul werden Sie erfahren, wie Sie eine mündliche Präsentation Ihres Wissens in sechs Schritten optimal vorbereiten und durchführen können. Bereiten Sie sich vor, das zu zeigen, was Sie wissen und können!

Im einfachsten Fall halten Sie einen **Vortrag**, also eine Rede über ein bestimmtes Thema. Bei einem klassischen Vortrag setzen Sie in der Regel keine Medien ein.

Ein **Referat** ist ein Sachvortrag, mit dem Ziel der Darstellung und Klärung von Sachverhalten bzw. der Informations- oder Wissensvermittlung. Logik und Verstand stehen bei einem Referat im Mittelpunkt. Sie sollten Inhalte (möglichst) wertfrei darbieten und unbedingt die Trennung von Eigen- und Fremd-Meinung beachten.

Heute werden klassische Vorträge und Referate zunehmend durch Präsentationen ersetzt.

Eine **Präsentation** ist ein mediengestützter Sachvortrag. Es ist heute mehr denn je notwendig, sich und seine Leistungen, Produkte, etc. gut zu präsentieren, d. h. „vorzuzeigen", anderen „vor Augen zu führen" und „ans Herz" zu legen.

Begabung oder Fleiß?

Ü63: Denken Sie an eine Präsentation zurück, die Sie begeistert hat. Notieren Sie in Stichpunkten, was genau Sie gelungen fanden. Denken Sie dabei u. a. auch an die Bereiche Medien, Rhetorik, Persönlichkeit und Fachwissen.

Schätzen Sie am Ende, ob der Redner für die von Ihnen genannten Aspekte eher von seinem Talent (T) profitierte oder ob er eher viel Übung (Ü) benötigte. Markieren Sie mit einem Kringel.

Das hat mir gefallen: T Ⓤ

.... T Ü

.... T Ü

.... T Ü

.... T Ü

.... T Ü

Es wird Sie nicht überrascht haben: Mit Talent alleine können Sie beim Präsentieren nicht überzeugen. Umgekehrt gilt jedoch, dass Sie mit Fleiß und Übung in der Vorbereitung zumindest die Chance haben, zum Beispiel mangelndes Redetalent, große Nervosität oder geringe Vortragserfahrung etwas abzufangen. Mit den folgenden sechs Schritten können Sie eine gute Präsentation erstellen (in Anlehnung an BLOD 2010, S. 26 ff.):

(1) Fokussieren   (2) Strukturieren

(3) Formulieren   (4) Visualisieren

(4) Trainieren   (6) Präsentieren

Kaufen Sie sich ein kleines gebundenes Heft, das Sie immer mit sich führen können. Alle Ideen, Gedanken und Informationen, die Ihnen zu ihrer nächsten Präsentation einfallen, können Sie auf diese Art sammeln. Nichts geht Ihnen verloren! Falls Sie gerne elektronisch arbeiten, überlegen Sie, inwieweit Ihr Smartphone die Funktion des Buches übernehmen kann.

6.1 Erster Schritt: Fokussieren
6.1.1 Vorbereitung auf Thema und Ziel

Ü64: Denken Sie an Ihre nächste Präsentation oder ggf. an eine zurückliegende und klären Sie das Ziel Ihrer Präsentation möglichst exakt. Beantworten Sie folgende Fragen:

meine Ziele

A) Was sind meine persönlichen Ziele?

....

B) Welche zentralen Aussagen sollen die Zuhörer sich unbedingt merken (take-away-message)? Das sollten maximal 2 oder 3 Botschaften sein.

....

....

....

*das möchte ich
erreichen*

*Welche Haltung / Haltungsänderung zum Thema soll beim Teil-
nehmer entstehen?*

....

Was soll der Zuhörer tun? (call-to-action)

....

Meistens ist das Thema klar definiert und Sie besitzen schon zu Beginn Ihrer
Vorbereitung zumindest eine grobe Vorstellung des Inhalts. Aber welches
Ziel verfolgen Sie mit Ihrer Präsentation? Wollen Sie überzeugen oder
informieren? Soll eine Entscheidung herbeigeführt werden oder präsentieren Sie im Rahmen einer Schulung oder sogar einer Prüfung?

6.1.2 Vorbereitung auf die Zielgruppe

Ihre Präsentation muss auf die Menschen zugeschnitten sein, die die Zielgruppe bilden. Es ist leicht nachvollziehbar, dass Prüfer in einer Präsentationsprüfung andere Vorstellungen und Erwartungen mitbringen, als
Kollegen in einer Schulung oder Vorstände bei einer Budgetentscheidung.

*meine Ziel-
gruppe*

*Ü65: Denken Sie an Ihre nächste Präsentation oder ggf. an eine
zurückliegende und definieren Sie die Zielgruppe Ihrer Präsentation. Beantworten Sie folgende Fragen:*

*Wer wird anwesend sein? Und in welcher Beziehung stehen die
Personen zueinander und zu Ihnen?*

....

Was könnte die Personen emotional bewegen?

....

Welches Vorwissen haben die Anwesenden zum Thema?

....

160

Wie ist die Situation für die Anwesenden? Sind sie freiwillig da? Stehen die Personen unter Zeitdruck? Ist die Situation formell oder informell?

....

Wenn Sie bereits ein Seminar „Erfolg durch Persönlichkeit" besucht haben, können Sie Ihre Kenntnisse zu den unterschiedlichen Persönlichkeitstypen gewinnbringend anwenden.

Berücksichtigen Sie auch, dass jede Nachricht nicht nur einen sachlichen Inhalt besitzt, sondern dass auch Sie etwas über sich preisgeben (Selbstkundgabe). Auch die Beziehungsebene, die zwischen Ihnen und den Anwesenden besteht, ist Bestandteil dieser Nachricht und mit jeder Nachricht senden Sie einen Appell an die Zielgruppe (vgl. F. SCHULZ VON THUN 2010, S. 44 ff.).

6.1.3 Vorbereitung auf die Situation und Präsentationsmedien

Es ist von zentraler Bedeutung, dass Ihnen klar ist, unter welchen Bedingungen Sie präsentieren werden. Für eine Präsentation mit wenigen Personen werden Sie sich vielleicht für eine einfache Tischvorlage oder eine Posterpräsentation entscheiden, für eine Präsentation vor 500 Personen werden Sie wohl eher einen Beamer benötigen.

Wichtig ist auch, dass Sie sich genau klar machen, wie der Präsentations-Raum beschaffen ist: Gibt es einen Internetzugang? Kann man den Raum verdunkeln? Wo sind die Stromanschlüsse? Wie funktioniert die Beleuchtung? Welche Sitzordnung ist vorgesehen? Kann ich mich frei im Raum bewegen; gibt es Barrieren? Erstellen Sie sich eine entsprechende Checkliste, die Sie vor jeder Präsentation zeitsparend abarbeiten können.

Fragen Sie sich auch, in welchem inhaltlichen Kontext (z. B. Titel der Veranstaltung) Sie vortragen und was ggf. andere Referenten vorstellen werden.

6.2 Zweiter Schritt: Strukturieren
6.2.1   Ideen sammeln

Vergegenwärtigen Sie sich Ihre Kernaussage und knüpfen Sie an Ihr Vorwissen an (vgl. Modul 5)! Machen Sie ein Brainstorming (mit sich selbst und anderen), schreiben Sie ABC-Listen, entwerfen Sie ein Wortbild, benutzen Sie den Fragenfächer.

6.2.2 Recherchieren

Wer Wissen aufnehmen will, muss recherchieren – sich auf die Suche machen. Die wichtigsten Informationsquellen stellen auch heute noch Bibliotheken dar, die einerseits die sog. Standardliteratur führen, andererseits Fachzeitschriften zur Verfügung stellen, welche die neuesten Veröffentlichungen enthalten.

Wir werden hier nur eine Übersicht geben. Wenn Sie Recherchesysteme intensiv einsetzen wollen, lassen Sie sich in Ihrer Bibliothek über die Nutzung informieren. Häufig werden dort auch Einführungskurse angeboten.

Für eine erste Übersicht verwendet man heute in der Regel das Internet. Hier ist es schwierig, die Qualität der gefundenen Textstellen zu beurteilen. Recherchieren Sie im Internet also besonders gründlich und hinterfragen Sie

immer die Kompetenz der Autoren. Gute Übersichten zur Recherche im Internet finden Sie z. B. bei *suchfibel.de: „Die Kunst des Suchens"*.

Scheuen Sie sich nicht, Fachleute um Rat zu bitten. Diese Experten haben in der Regel eine gute Literaturübersicht und können ihnen die zentralen Quellen schnell benennen.

Verarbeiten Sie gefundene Texte mithilfe der PQ4R-Methode (vgl. Modul 4) und/oder einer Mind Map. Fertigen Sie Sachkarten zu den verschiedenen Aspekten an. Notieren Sie sich immer ausführlich die Quelle, aus der Sie die Information haben. Was Sie nicht notiert haben, werden Sie später nicht mehr finden. Wenn Sie sehr viel Literatur verarbeiten, kann es sich lohnen, Autoren-Karteikarten zu beschriften oder ein Computerprogramm zur Literaturverwaltung wie z. B. CITAVI anzuschaffen.

6.2.3 Redigieren und Reduzieren

Nachdem Sie nun eine vertiefte Übersicht über Ihr Thema gewonnen haben, müssen Sie die Informationen weiter verarbeiten: Bewerten, Aussortieren, Gruppieren.

> *Sammeln Sie Ihre Gedanken, indem Sie zu jedem Aspekt eine Karte beschriften. Legen Sie die Karten auf einem Tisch aus und beginnen Sie, sie zu ordnen: Was gehört zusammen? Welche Aspekte sind besonders wichtig? Was kann man weglassen?*

Hier eignen sich Methoden wie Mind Mapping, Textbildmethode oder hierarchischer Abrufplan (s. Modul 4), um den Prozess zu visualisieren.

Die meisten Präsentationen sind inhaltlich überladen. Die Zuhörer werden überfordert und die zentralen Aussagen und Ziele werden nur bedingt vermittelt. Reduzieren Sie die Inhalte unbedingt auf das Wesentliche. Als Experte für Ihr Thema können Sie Details und Erweiterungen im Gespräch danach ergänzen, im Handout darlegen oder anhand kleiner, vorbereiteter Zusatzpräsentationen auf Nachfrage ergänzen.

6.2.4 Abfolge festlegen

Betrachten Sie die bisherige Struktur Ihrer Präsentation, Ihre Ziele und Ihre Kenntnisse zur Zielgruppe. Überlegen Sie, ob eine der folgenden klassischen Abfolgen Ihnen ansprechend erscheint:

▷ Klassisch: Ankündigung – Mitteilung – Zusammenfassung

▷ Diskurs: These – Antithese – Synthese

▷ Kernaussage – Beispiele – Einwände zerstreuen – Zusammenfassung

▷ Vergangenheit – Gegenwart – Zukunft

▷ Frage – die im Verlauf des Vortrags beantwortet wird

▷ Problem – Argument 1 – Argument 2 – Argument 3 – Lösung

▷ Das Ende zuerst (bei provozierenden Thesen geeignet)

▷ in medias res – direkt zur Sache, Kontext und Erklärungen nachreichen

6.2.5 Roter Faden

Die Entscheidung für eine Abfolge ist der erste Schritt, um einen „Roten Faden" durch die Präsentation zu legen. Achten Sie darauf, sich eng an Ihrem Roten Faden zu orientieren – wenn Sie abschweifen (müssen), kehren Sie immer zum roten Faden zurück!

> *Finden Sie eine Geschichte, die durch die gesamte Präsentation führt!*

Diesen wertvollen Rat gibt MICHAEL MOESSLANG (2009, S. 41). Er führt weiter aus: „Eine Geschichte, die durch die gesamte Präsentation führt, kann den Rahmen setzen, der für Spannung sorgt und den roten Faden bilden.
Es kann eine Metapher sein, eine kreative Idee oder ein optischer oder verbaler Stil, der sich wie eine Geschichte durch die ganze Präsentation zieht."
Ideen für solche Geschichten finden Sie z. B. im Sport (Regeln, Taktik), im Urlaub (in See stechen, Essen, Hotel), in Filmen (Darsteller, Handlung) und vielen anderen Bereichen. Recherchieren Sie im Internet unter dem Suchwort *„story telling"* (vgl. MOESSLANG 2011, S. 135 ff).

6.3 Dritter Schritt: Formulieren

Sie haben das Thema bereits inhaltlich aufgearbeitet, Wichtiges von Unwichtigem getrennt, inhaltlich zusammengehörende Aspekte gruppiert und einen vorläufigen Ablauf festgelegt. Nun geht es daran, die Informationen zielgruppengerecht zu formulieren.

Wenn Sie an der Dramaturgie Ihrer Präsentation arbeiten, machen Sie sich immer klar, dass Sie selbst das Zentrum der Aufmerksamkeit sind – und sein sollen. Alle rhetorischen und medialen Hilfsmittel dienen einzig und allein Ihrer Unterstützung!

Für welche Abfolge auch immer Sie sich entscheiden, eine wirksame und sehr einfache Form der Gliederung besteht aus drei Teilen (sog. **3-S-Regel**):

1. Sage, was Du sagen wirst! (**Eröffnung**)

2. Sage, was Du sagen willst! (**Hauptteil**)

3. Sage, was Du gesagt hast! (**Schluss**)

Denken Sie daran: Der erste Eindruck ist entscheidend ... und der letzte bleibt!

Machen Sie sich bewusst, wie wichtig diese beiden Phasen sind, und üben Sie hier ganz besonders intensiv!

6.3.1   Sage, was Du sagen wirst! (Eröffnung)

Bei Präsentationen ab 15 Minuten hilft es Ihnen und Ihren Zuhörern, wenn Sie zum Einstieg eine Übersicht (Agenda) über die zentralen Aspekte Ihrer Präsentation geben. Sie können diese Übersicht auf Ihren Folien verwenden, ähnlich der Menüführung im Internet oder Sie können z. B. ein Flipchart benutzen, das während der gesamten Präsentation für alle sichtbar bleibt. Achten Sie darauf, dass diese Übersicht die Spannung in Ihrem Vortrag nicht zerstört!

Diese Form des Einstiegs (das Vorstellen der Inhalte) ist aber kein spannender und motivierender Einstieg. Nur wenige Menschen können Ihrer Präsentation (zunächst) mit Begeisterung folgen. Deshalb lohnt es sich, dieser Phase einen echten „Eisbrecher" voranzustellen. Warten Sie bis die Zuhörer ganz bei Ihnen sind.

Eisbrecher können sein:

▷ Frage, die im Vortrag beantwortet wird

▷ Anekdote / Witz – zum Thema

▷ Überraschung – Interessantes, Aktuelles zum Thema

▷ Zitat

▷ Bild

▷ Demonstration

▷ Geschichte

Die Eröffnung soll Wohlwollen, Aufmerksamkeit und Neugier wecken. Danach können Sie sich – wenn nötig – vorstellen, das Publikum begrüßen und eine kurze Übersicht (Agenda) über Ihr Thema geben. Umreißen Sie dabei nicht nur, worum es gehen wird, sondern auch worum es nicht gehen wird. Wenn Sie der Übersicht weniger Dominanz zuweisen möchten, übertragen Sie die Eckpunkte auf Ihr Handout oder fertigen Sie kleine Tischkarten an.

Denken Sie daran, diese Phase hat eine zentrale Bedeutung in Ihrer Präsentation:

> *Sie haben nur eine Chance,*
> *einen guten ersten Eindruck zu machen!*

Sprechen Sie unterschiedliche Persönlichkeitstypen an, indem Sie bereits zu Beginn Ihrer Präsentation folgende Fragen berücksichtigen:

▷ „Was?" Worum geht es? Geben Sie einen gut strukturierten Überblick

▷ „Warum?" Begründung: Was sind die Ziele und Nutzen? - konkret und „knackig"

▷ „Wer?" Wer profitiert davon?

▷ „Wie?" Wie gehen Sie vor? Wie können die Inhalte verwendet werden?

> *Sprechen Sie unterschiedliche Persönlichkeitstypen an!*

Erinnern Sie sich an die Persönlichkeitstypen mit ihren Präferenzen! Die „roten" Persönlichkeiten Ihres Publikums möchten vor allem wissen „was" sie in der Präsentation erwartet. Die „blauen" Persönlichkeiten interessiert insbesondere „warum" Sie zuhören sollten, und welchen Nutzen sie davon haben werden.

Die „gelben" Persönlichkeiten werden hellhörig, wenn ihnen verdeutlicht wird, „wer" vom Inhalt vorrangig betroffen ist, während die „grünen" Persönlichkeiten auf Erläuterungen aus dem Bereich „wie wird es ablaufen" oder „wie kann etwas Bestimmtes erreicht werden" warten.

Am Ende dieses Moduls können Sie Ihre Überlegungen zur Bedeutung der Persönlichkeitstypen für eine gelungene Präsentation vertiefen.

6.3.2 Sage, was Du zu sagen hast! (Hauptteil)

Je nach Persönlichkeitstyp schreiben Sie vielleicht zuerst alles nieder, was sie sagen möchten, und überlegen dann, wie Sie es visualisieren können. Andere wechseln zwischen Formulierung und Visualisierung mehrfach und wieder andere visualisieren zuerst und formulieren dann.

6.3.2.1 Tipps zur Rhetorik

Bemühen Sie sich jederzeit um verständliche Formulierungen:

- ▷ Einfach (statt umständlich)
- ▷ Kurze Sätze (statt ausschweifend)
- ▷ Klar und deutlich (statt phrasenhaft)
- ▷ Konkret (statt allgemein und undeutlich)
- ▷ Positiv (statt negativ)
- ▷ Aktiv (statt passiv)
- ▷ Verben (statt Hauptwörter)
- ▷ Einprägsam (statt ähnlich klingende Wörter)

Fremd- und Fachwörter sollten Sie sparsam und gezielt einsetzen. Überlegen Sie immer, ob Ihre Worte der Zielgruppe angemessen sind.

Wenn Sie Größen- oder Mengenangaben verwenden, so übersetzen Sie diese in vorstellbare, konkrete Angaben: Aus „Wenn Sie bei uns kaufen, sparen Sie 30 %!" wird „Wenn Sie bei uns kaufen, sparen Sie 30 %, das sind 1500,- €.".

Sie haben bereits in den Moduln 2 und 3 gelernt, dass das Gehirn Informationen besonders gut verknüpfen kann, wenn Bilder im Spiel sind, Geschichten erzählt oder Emotionen geweckt werden und Wiederholungen erfolgen.

Damit haben Sie eigentlich schon alle wichtigen Voraussetzungen, um eine spannende Präsentation zu entwerfen.

Verwenden Sie gezielt rhetorische Mittel, um diesen Effekt zu unterstützen. Beispiele sind:

> ▷ Alliterationen (Kleidung clever kaufen bei Kik)
>
> ▷ Metaphern (Rabeneltern, rosarote Brille)
>
> ▷ Analogien (Fluss – elektrischer Strom)
>
> ▷ Vergleiche (das ist so, als ob ...).

Wiederholen Sie Ihre Kernaussage – am besten dreimal im Laufe Ihrer Präsentation.

Nutzen Sie die Kraft der richtigen Argumentation

Argumente sind Aussagen, die eine Behauptung belegen oder beweisen sollen. MICHAEL MOESSLANG (2009, S. 49) empfiehlt Expertentaktiken, um zu argumentieren, z. B.:

▷ Stellen Sie Ihre eigene Meinung als Kompromiss dar: Wägen Sie Gegenargumente ab und stellen Sie dann Ihre Empfehlung als die beste Wahl dar – oder noch besser – als die optimale Lösung.

▷ Konstruieren Sie logische Verknüpfungen: Stellen Sie eine Verknüpfung her, wie sie in Schlussfolgerungen verwendet werden. Beispiel: „Wenn das so ist, dann ..."

▷ Erörtern Sie erwartete Einwände: Nehmen Sie mögliche Einwände oder Kritik vorweg und entkräften Sie sie. Vorsicht: Sprechen Sie Einwände und Kritik nur an, wenn Sie sicher sein können, dass diese ohnehin thematisiert werden (müssen).

▷ Geben Sie mit bildhaften Vergleichen einen Denkanstoß. Dadurch geben Sie auch die Denkrichtung der Zuhörer vor. Beispiel: *„Lernen ist wie rudern gegen den Strom, wer damit aufhört, treibt zurück"* (LAOZI).

▷ Verdeutlichen Sie das Allgemeine durch den Einzelfall: Ein lebendiges Beispiel überzeugt stärker als eine Reihe von statistischen Daten.

▷ Schränken Sie mit Alternativfragen Wahlmöglichkeiten ein: Dadurch, dass Sie eine Alternativfrage aufwerfen, reduzieren Sie manipulativ die Gedanken der Zuhörer auf zwei Möglichkeiten. Beispiel: „Welche Farbe magst Du lieber: grün oder blau?" anstatt „Was ist deine Lieblingsfarbe?".

Um Ihre Argumente zu untermauern, können Sie unterschiedliche Techniken benutzen (Vgl. MOESSLANG 2011, S. 47).

▷ Statistiken und Grafiken untermauern numerische Fakten

▷ Expertenaussagen belegen die Bedeutung und Glaubwürdigkeit des Arguments

▷ Anekdoten illustrieren das Argument

▷ Analogien und Metaphern zeigen Ähnlichkeiten auf

▷ Definitionen verhindern unterschiedliche Interpretationen

Emotionen: Machen Sie sich bewusst, dass wir Entscheidungen häufig emotional fällen und nicht rational. Es ist daher von erheblicher Bedeutung, dass Sie Ihre Argumente mit Emotionen verbinden.

Rhythmus: Verbessern Sie den Behaltenseffekt, indem Sie Ihren Vortrag rhythmisieren. Das gelingt z. B. mit gelegentlichen Zusammenfassungen, Vor- und Rückblicken sowie Sprechpausen.

6.3.2.2 Tipps zum Manuskript

Wenn Sie noch unerfahren im Vortragen und Präsentieren sind, kann es eine Hilfe sein, wenn Sie Ihren Text wie in einem Drehbuch ausformulieren. Achten Sie darauf, nicht in einen Schreibstil zu verfallen. Verwenden Sie ein Wortmanuskript oder Stichwortkarten. Bleiben Sie im Sprechstil und halten Sie Ihre Sätze kurz und einfach:

KISS – Keep It Short and Simple!

Wortmanuskript

▷ A 4-Blatt / große Schrift (mind. 2-zeilig wegen Lesbarkeit) / einseitig beschriften

▷ Seitenzahl am oberen Blattrand

▷ Breiter Rand links: Verkürzung der Zeilen-Länge (Blickspanne)

▷ Pausen, ggf. farbige Markierung für den Einsatz von Medien

▷ Pro Seite ca. sechs farbige Markierungen von Schlüsselwörtern

Das beste Wortmanuskript ist das, das Sie für den Vortrag nicht mehr benötigen (sog. Spickzettel-Effekt). Lernen Sie Ihren Vortrag auswendig und tragen Sie frei vor.

Trotz der intensiven Vorbereitung fürchtet man natürlich wichtige Aspekte zu vergessen. Bereiten Sie daher Ihre Präsentation nicht nur inhaltlich, sondern auch mnemotechnisch optimal vor. Sie können Ihre Gliederung durch Raumanker verknüpfen (s. Modul 5) und als Hilfe für den Ernstfall oder für wörtliche Zitate, Zahlen und Fakten Karteikarten vorbereiten.

Stichwortkarte:

▷ DIN A6-Karteikarten, einseitig beschriftet

▷ nummerieren (falls Ihnen die Karten mal herunter fallen)

▷ oder lochen und auf Kordel auffädeln

▷ Stichworte

▷ Regieanweisungen

▷ wörtlich: Zitate, Zahlen, Daten, Fakten

Wenn Sie mit PowerPoint oder einem ähnlichen Programm arbeiten, formulieren Sie Ihren Text in der Notizenansicht aus; dann haben Sie ihn immer sichtbar, solange Sie Ihre Präsentation entwickeln. Visualisieren Sie dann Ihre Formulierung. Wenn Ihr Entwurf abgeschlossen ist, machen Sie eine Kopie der Datei und ersetzen die ausführlichen Formulierungen durch Stichworte und „Regiehinweise", die Sie in der Referenten-Ansicht Ihrer Software während der Präsentation auf Ihrem Bildschirm einblenden können. Die ursprüngliche Datei können Sie dazu verwenden, ein umfangreiches Handout Ihrer Präsentation zu erstellen.

6.3.2.3   Take-Home-Message

Bereits in der Phase der Fokussierung haben Sie Ihre Kernaussagen als Take-Home-Message formuliert. Maximal drei Kernaussagen können Sie in einer Präsentation transportieren. Jede davon sollte dreimal wiederholt werden. Mindestens einmal im Hauptteil und natürlich am Schluss. Überprüfen Sie, ob Sie diese Wiederholungen in Ihrem Vortrags-Manuskript hinreichend berücksichtigt haben!

6.3.3   Sage, was Du gesagt hast! (Schluss)

Geben Sie am Ende eine Zusammenfassung Ihrer Ausführungen: Was ist die wesentliche Erkenntnis? Welche Botschaft(en) / Take-Home-Message möchten Sie Ihren Zuhörern unbedingt mitgeben?

War es etwa Ziel der Veranstaltung, die Teilnehmer zu konkretem Tun zu veranlassen, so ist an dieser Stelle ein deutlicher Appell angebracht (Call-to-action).

Der Schluss ist mehr als eine Zusammenfassung, er ist eine Brücke zwischen der Gegenwart und der Zukunft!

Mögliche Formen:

> ▷ Neue Dimension hinzufügen, z. B. Merksatz, Reim, Zitat
>
> ▷ Stil-Variation: vorher nüchtern, nun poetisch
>
> ▷ Knappe Formel, Slogan
>
> ▷ Ausblick
>
> ▷ Aufforderung, Appell, Call-to-action"
>
> ▷ Kehren Sie zurück zu Ihrem Einstieg (Loop)

Und bitte beenden Sie Ihre Präsentation nicht mit Quellenangaben. Das ist in Schule und Hochschule leider noch immer Standard. Eine solche Übersicht ist kein geeignetes Ende!

Für eine Präsentation können Sie die Quellen z. B. auf Ihrem Handout vermerken. Sie können auch noch eine Folie anfertigen, die Sie (erst und nur) bei Nachfragen öffnen.

6.4 Vierter Schritt: Visualisieren

Bei Präsentationen werden Medien zur Unterstützung eingesetzt, das ist der zentrale Unterschied zu Vorträgen. Da bildhaftes Denken für Menschen sehr wichtig ist, lohnt es sich Präsentationen durch Visualisierung zu unterstützen, denn:

„Ein Bild sagt mehr als tausend Worte."

Für die Visualisierung lassen sich klare Ziele formulieren (vgl. BLOD 2010, S. 91 ff.):

▷ Kernaussagen hervorheben

▷ Komplexe Zusammenhänge veranschaulichen

▷ Emotionen wecken

▷ Aufmerksamkeit und Interesse binden

▷ Zentrale Botschaften verankern

Drei Fehler sollten Sie dabei meiden (Vgl. MOESSLANG 2009, S. 28):

▷ Die Visualisierung besteht (nur) aus Text.

▷ Bilder und Cliparts werden ohne erkennbaren Zusammenhang eingesetzt.

▷ Komplizierte Tabellen und Grafiken werden schlagartig eingeblendet.

6.4.1 Diagramme

Diagramme helfen Ihnen, Tabellen und Zahlen zu veranschaulichen. Denken Sie daran, dass der Betrachter u. U. viel Zeit braucht, um sich das Diagramm zu erschließen. Bei komplizierten Sachverhalten sollten Sie das Diagramm daher schrittweise entwickeln. Nicht jeder einfache Sachverhalt muss visualisiert werden. Die Aussage: „10% der Zuhörer sind Frauen" müssen Sie nicht als Tortendiagramm visualisieren. Beachten Sie:

▷ Erst die Aussage treffen, dann eine Grafik entwickeln

▷ Ein Diagramm – eine Aussage

6.4.2 Konzeptionelle Grafiken

Konzeptionelle Grafiken verdeutlichen Zusammenhänge zwischen Fakten und Argumenten, die nicht auf Zahlen basieren, z. B. eine Hierarchie in einem Unternehmen. Hierzu zählen z. B.: Organigramme oder Prozessdiagramme.

6.4.3 Fotos und Cartoons

Viele Jahre bildeten Cartoons und Clip-Arts die Basis, vor allem bei Powerpoint-Präsentationen. Als Visualisierung helfen Sie aber nur dann, wenn Sie die Aussage optimal transportieren. Wenn das nicht der Fall ist, lassen Sie sie weg. Gute Fotos sind in den meisten Fällen besser geeignet, aber auch hier gilt: die Aussage muss im Mittelpunkt stehen. Beachten Sie unbedingt, dass die meisten Fotos und Cartoons urheberrechtlich geschützt sind. Es kann sein, dass Sie Bildrechte erwerben müssen, bitte prüfen Sie dies, vor allem, wenn Sie „mal eben schnell" Bilder aus dem Netz herunterladen. Microsoft Powerpoint z. B. liefert Ihnen eine Reihe freier Bilder. Im Internet können Sie Bilder kostenfrei z. B. bei *pixelio* oder – z. T. gegen geringe Kosten – z. B. bei *fotolia* erhalten. Da Fotos eine starke Wirkung entfalten, lohnt es sich auch darüber nachzudenken, selbst auf Fotosafari zu gehen.

6.4.4 Animationen

Animationen veranschaulichen Prozesse durch bewegte Bilder. Das kann zum einen ein Vorgang sein, den Sie in Ihrer Präsentation erläutern, z. B. die Bewegungsabfolge beim Hochsprung. Zum anderen können Programme wie Powerpoint die Präsentationsfolien animieren. Meiden Sie aber unbedingt fliegende Buchstaben, Sätze und Bilder, auf- und abblendende Folien. Setzen Sie die Animationseffekte nur sparsam ein, um z. B. komplexe Zusammenhänge schrittweise zu entwickeln.

6.4.5 Filme

Filme können Sachverhalte gut veranschaulichen und Emotionen transportieren. Es ist immer wieder beeindruckend, wie z. B. Werbeclips in nur wenigen Sekunden ganze Geschichten erzählen. Wenn Sie kleine Filme im Internet, (z. B. bei *Youtube* oder *clipfish*) laden, beachten Sie auch hier ein mögliches Urheberrecht. Eventuell müssen Sie die Rechte kaufen (vgl. Fotos).

Ähnlich wie bei Fotos ist es heute nicht mehr so aufwendig eigene Clips zu erstellen. Vom Film bis zum Trickfilm gibt es viele Möglichkeiten und geeignete Software ist im Internet oft frei verfügbar. Überlegen Sie genau, wie lang ein eingeblendeter Filmclip maximal sein darf.

6.5 Fünfter Schritt: Trainieren

Den Teil Ihrer Präsentation, der die meiste Zeit und Arbeit erfordert, haben Sie jetzt bewältigt!

Nun gilt es, die Präsentation zu üben, die Wirkung zu prüfen sowie die notwendige Zeit zu ermitteln, also den Feinschliff vorzunehmen.

Die folgende Checkliste kann Ihnen dabei helfen.

▷ Erfüllt die Präsentation die formulierten Ziele?

▷ Hat die Präsentation eine klare Struktur?

▷ Folgt die Präsentation von der Einleitung bis zum Schluss dem Roten Faden?

▷ Ist die Sprache verständlich und anschaulich?

▷ Ergänzen sich Formulierung und Visualisierung?

▷ Sind alle Rechtschreibfehler entfernt? Lassen Sie jemanden Korrektur lesen!

▷ Sind die Visualisierungen einfach, aber hilfreich? Können Folien von jemandem, der den Inhalt nicht kennt, gut erfasst werden?

▷ Ist die Einblendzeit ausreichend um alles zu lesen, alles zu erfassen? (Halten Sie dementsprechend lange aus, ohne zu sprechen!)

▷ Haben Sie Anker und Karteikarten vorbereitet, die Ihnen ggf. über „Hänger" während des Vortrags hinweghelfen können?

▷ Haben Sie ausreichend Zeit, auch für Fragen aus dem Publikum? Wollen, und (wann) können Sie Fragen zulassen?

Üben Sie Ihre Präsentation so lange, bis Sie sie ohne Hilfen vortragen können. Bei längeren Zitaten etc. dürfen Sie Karteikarten verwenden. Schleifen Sie so lange an der Präsentation, bis sie ihnen „rund" erscheint. Eine Probepräsentation vor kleinem Publikum ist immer hilfreich. Lassen Sie sich ein Feedback, etwa von Freunden, geben und optimieren Sie Ihre Präsentation.

6.6 Sechster Schritt: Präsentieren

Ihre innere Einstellung sollte sein: Ich habe etwas zu sagen und die Teilnehmer wollen gerade dies hören! Stimmen Sie sich positiv auf die Situation ein. Prüfen Sie ein letztes Mal Ihre Medien und schon kann es losgehen.

Ein paar bewährte Tipps:

▷ Zu Beginn Zeit lassen

▷ Einen festen Standpunkt einnehmen

▷ Blickkontakt – nach allen Seiten

▷ Freundlich schauen

▷ Laut und deutlich sprechen, möglichst hochdeutsch

▷ Pannen und Versprecher kommentarlos korrigieren

(d. h. vor allem ohne Entschuldigung)

▷ Zum Publikum sprechen, nicht zum Medium

▷ Sprechpausen zur Betonung und ggf. zur Publikumsbeteiligung

▷ Alles, was auf der „Bühne" gezeigt wird, fungiert als Zeichen: Gesten, Bewegungen,

▷ Gegenstände

Wenn Sie häufiger präsentieren oder sogar die gleiche Präsentation noch einmal halten werden, bitten Sie einige Zuhörer um ihr Feedback und bereiten Sie die Präsentation nach!

Erinnern Sie sich, was wir zu Beginn des dritten Schrittes gesagt haben und vergessen Sie nie: Sie haben nur eine Chance, einen ersten guten Eindruck zu machen!

Modul-Rückblick durch die Brille Ihrer Lern-Persönlichkeit

In diesem Modul haben Sie erfahren, wie Sie mündliche Präsentationen in sechs Schritten optimal vorbereiten und durchführen können. Zusammen mit den Hinweisen zu den Medien (Exkurs 1) und zum Wissenschaftlichen Arbeiten (Exkurs 2) können Sie sich nun optimal vorbereiten, um das zu zeigen, was Sie wissen und können!

Im nächsten Modul erhalten Sie konkrete Hilfen zur Vorbereitung, Durchführung und Nachbereitung von Prüfungen.

Bevor Sie nun aber zu den Exkursen und dem nächsten Modul gehen, ziehen Sie jetzt bitte wieder Ihre „Lern-Persönlichkeits-Brille" auf!

Betrachten Sie die Informationen des Moduls „Wissens-Präsentation" noch einmal im Hinblick auf Ihre Lern-Persönlichkeit.

Helfen kann Ihnen dabei, wie immer, ein erneuter Blick auf das Ergebnis Ihrer Selbstanalyse.

Beachten Sie hinsichtlich dieses Moduls vor allem folgende grundlegenden Erkenntnisse aus dem Persönlichkeitsmodell:

1. Ich selbst bin eine einzigartige Persönlichkeit mit allen Stärken, Schwächen und Nichtstärken.

2. Dies gilt für jeden meiner Zuhörer in gleicher Weise.

Ein erfolgreicher Vortrag, eine erfolgreiche Präsentation erfordert daher, dass:

1. Ihre Präsentation authentisch sein muss,

2. Ihre Präsentation alle Persönlichkeitstypen ansprechen muss.

Für Punkt 1 bedeutet das, dass Sie Ihren Persönlichkeitstyp möglichst intensiv kennenlernen müssen. Nur dann können Sie auf Ihre Stärken bauen, Ihre Schwächen bekämpfen und Ihren Nichtstärken soweit begegnen, dass Sie auch noch die Persönlichkeitstypen erreichen, deren Profil Ihnen am wenigsten ähnelt.

Zu Punkt 2 haben Sie sich schon beim dritten Schritt der Präsentationsanleitung Gedanken gemacht. Darüber hinaus sollten Sie sich, je nach Persönlichkeitstyp, auf das Wesentliche konzentrieren.

Orientieren können Sie sich an der folgenden Aufstellung:

„Rote" Persönlichkeit

Stärken: direkt, energisch, selbstsicher, herausfordernd

Schwächen: rücksichtslos, kompromisslos, arrogant

Fragenstellung: WAS?

Bemühen Sie sich während einer Präsentation, Ihre Stärken nicht zu übertreiben. Dies könnte besonders schwierig für Sie werden, wenn Sie Schlussfolgerungen vortragen und daraus Handlungsbedarf ableiten. Inhaltlich sollten Sie darauf achten neben den - Ihnen selbst zentral wichtig erscheinenden - Was-Fragen auch die Wer-, Wie- und Warum-Fragen zu klären.

„Gelbe" Persönlichkeit

Stärken: inspirierend, begeistert, gesprächig, kontaktfreudig

Schwächen: manipulierend, geschwätzig, unsachlich

Fragenstellung: WER?

Bemühen Sie sich, Ihre Stärken zurückhaltender einzusetzen. Das wird für sie besonders schwierig, wenn sie sich unverhältnismäßig vom Thema mitreißen lassen und die Zuhörer zum Mitmachen bewegen wollen. Inhaltlich sollten Sie neben den Wer-Fragen auch die Was-, Wie- und Warum-Fragen klären.

„Grüne" Persönlichkeit

Stärken: loyal, ausgleichend, rücksichtsvoll, aufmerksam

Schwächen: unterwürfig, positionslos, unflexibel, Ja-Sager

Fragenstellung: WIE?

Achten Sie darauf, Ihre Position und Ihre Ziele deutlich zu formulieren. Wenn Ihnen das gut gelingt, können Sie Ihre Stärken ausspielen, indem sie z. B. aufmerksam ins Publikum lauschen und Fragen und Anmerkungen ruhig und ausgleichend beantworten. Inhaltlich sollten Sie neben den Wie-Fragen auch die Was-, Wer- und Warum-Fragen klären.

„Blaue" Persönlichkeit

Stärken: gründlich, logisch, akkurat, genau

Schwächen: bremst, emotional zurückhaltend, reserviert

Fragenstellung: WARUM?

Bemühen Sie sich darum, Ihre Stärken zurückhaltend einzusetzen. Das wird für Sie besonders dann schwierig, wenn Sie mit Fakten überzeugen wollen. Dann tendieren Sie dazu, bis ins letzte Detail zu gehen und Ihre Zuhörer in Zahlen, Daten und Fakten zu ertränken. Inhaltlich sollten Sie neben den Warum-Fragen auch die Was-, Wie- und Wer-Fragen klären.

Exkurs 1: Präsentations-Medien

Der Wahl des Mediums kommt eine wichtige Rolle zu. Das Medium vermittelt zwischen dem Präsentator und den Zuhörern, es unterstützt die Darstellung, aber es steht niemals im Mittelpunkt.

Jedes Medium stellt bestimmte formale Anforderungen, die durch seine Eigenart und die Nähe bzw. Entfernung zum Zuhörer bestimmt sind. Auch die Interaktion, die Sie mit dem Zuhörer verbindet, kann durch unterschiedliche Medien unterschiedlich gestaltet werden.

Welche Medien Sie auch immer einsetzen, zu Beginn steht die Entscheidung über die **Gestaltung bzw. das Layout**. Denken Sie immer daran, dass das Medium Sie unterstützen, nicht aber ersetzen soll. Informieren Sie sich über die Grundlagen der Gestaltung in der einschlägigen Fachliteratur.

Die Erkennbarkeit der medial dargebotenen Inhalte hat höchste Priorität. Sie ist abhängig von der Raumgröße sowie der Bedeutung und der Entfernung der Zuhörer. Lesbarkeit, Schriftgröße, Schriftart und guter Kontrast tragen dazu bei, Texte schnell erfassen zu können.

Verwenden Sie bei PC-gestützten Präsentationen, klare (bildschirmoptimierte) Schriften. Für Stichpunkte sollte die Größe mindestens 28 pt, für Überschriften mehr als 40 pt betragen. 18 pt sollten Sie nicht unterschreiten, sonst können Sie die Information gleich weglassen. Bei großen Schriften können Sie problemlos Schriften mit Serifen auswählen (z. B. Times New Roman).

Bei kleinen Schriften, in Tabellen oder als Bildunterschrift entscheiden Sie sich besser für eine serifenlose Schrift (z. B. Arial). Starke Kontraste fördern die Lesbarkeit. Komplementärfarben behindern die Lesbarkeit.

Bilder, **Grafiken** und **Videos** sollten immer gut erkennbar und möglichst groß sein. Verwenden Sie lieber mehrere Folien (Blätter etc.), statt mehrere Abbildungen (Blätter etc.) auf eine Folie zu quetschen.

Beachten Sie die Auflösung der eingesetzten Bilder: Bilder, die aus wenig Pixeln bestehen, werden in der Vergrößerung „pixelig" und die Qualität leidet. Bilder, die aus zu vielen Pixeln bestehen, bauen nur langsam auf, sodass Ihre Folien besonders auf langsamen Rechnern verzögert erscheinen.

Verwenden Sie Bild-Programme, um Ihre Bilder und Grafiken optimal anzupassen. *Paint.Net* ist z. B. ein unentgeltliches Grafikprogramm, das sich zur Bearbeitung von Bildern empfiehlt.

Wenn Sie **Tondokumente** einsetzen, testen Sie die Qualität in dem Raum, in dem Sie präsentieren wollen. Setzen Sie gegebenenfalls einen Equalizer oder das Software-Pendant ein, um den Ton zu optimieren.

Die folgende Auflistung zeigt die gebräuchlichsten Medien, die Sie für Ihre Präsentation nutzen können:

▷ Tafel, Whiteboard

▷ Powerpoint & Co

▷ Flipchart

▷ Moderationswand

▷ Video-, Audiotechnik

▷ Modell

▷ Wandzeitung

▷ Interaktives Whiteboard

Informieren Sie sich im Internet (z. B. bei *teachSam*) oder in den entsprechenden Büchern über die Vor- und Nachteile der verschiedenen Medien. Dabei sollten Sie die Gruppengröße und den Präsentationsraum im Auge behalten.

Exkurs 2:   Wissenschaftliches Arbeiten
              Eine Kurzübersicht

In diesem kompakten Exkurs stellen wir Ihnen die Grundlagen des wissen-
schaftlichen Arbeitens vor, die Sie sowohl für schriftliche als auch für münd-
liche Präsentationen bzw. Arbeiten berücksichtigen müssen.
Bereits in der gymnasialen Oberstufe, spätestens aber im Studium an einer
Hochschule, kommt der Fähigkeit wissenschaftlichen Arbeitens eine zentrale
Bedeutung zu. Formen der wissenschaftlichen Arbeit sind Haus- und
Semesterarbeiten sowie Bachelor- und Masterarbeiten, Dissertation und
Habilitation. Das Anspruchsniveau an die Selbsttätigkeit steigt dabei in der
angegebenen Reihenfolge, wobei auch eigene Beiträge, etwa für studenti-
sche Organe oder auch Fach-Zeitschriften, eine Rolle spielen können.

Was heißt eigentlich „Wissenschaftliches Arbeiten"?

In der Wissenschaft geht es um die Gesamtheit des Wissens und darum, das
vorhandene Wissen durch Forschung abzusichern, zu beweisen oder zu
erweitern und durch Lehre zu verbreiten. Im Mittelpunkt jeder wissenschaftlichen Arbeit stehen die Suche nach neuen Erkenntnissen und die Formulierung einer Forschungsfrage. Am Ende jeder wissenschaftlichen Arbeit
stehen die Beantwortung der Forschungsfrage und die Darstellung der
Ergebnisse.

Zur **Erstellung wissenschaftlicher Arbeiten** dienen daher im Wesentlichen
vier Schritte:

1. **Formulierung der Forschungsfrage und Klärung des Foschungs-
   ziels**

2. **Recherche und Sichern der bestehenden Erkenntnisse**
   ▷ Erstellen von Autoren-Karten
     (mit bibliografischen Angaben, ggf. Kurz-Titel)
   ▷ Erstellen von Sachkarten
     (Zitate, jeweils mit Kurz-Titel und Seiten-Angabe)

3. **Der Forschungsprozess im engeren Sinne**

4. **Darstellung des Forschungsergebnisses**

E2   1. Formulierung der Forschungsfrage
und Klärung des Forschungsziels

E2   1.1 Wie finde ich ein Thema?

Mit der Wahl einer Studienrichtung oder bestimmter Kurse in der Oberstufe haben Sie sich bereits für ein bestimmtes Fachgebiet entschieden. Praktische Erfahrungen und Ihre Interessen haben dabei die zentrale Rolle gespielt. So sollte es auch bei der Eingrenzung des Themas sein. Während bei Haus- und Semesterarbeiten die Themen oft noch vom Betreuer eng umrissen und eingegrenzt werden, können Sie mit fortschreitender Studienleistung immer mehr Einfluss auf das zu bearbeitende Thema nehmen.
Welche Gebiete Ihres Faches interessieren Sie besonders?
Hier sollten Sie mit der Themensuche beginnen:

▷ Lesen Sie aktuelle Veröffentlichungen (Fachzeitschriften, Wissenschafts- und Rezensionsseiten von z. B. der „Zeit", der „Süddeutschen" oder der „FAZ") in ihrem Studiengebiet, die Sie spontan spannend finden. In der Zusammenfassung der Veröffentlichungen werden in der Regel weitere Fragen aufgeworfen, denen man nachgehen könnte.

▷ Gehen Sie zu Tagungen, Kongressen (meist gibt es Studentenrabatte) und Gastvorlesungen. Hier erhalten Sie ggf. Informationen - noch bevor sie veröffentlicht werden.

▷ Suchen Sie den Kontakt zu den Fachleuten in Ihrem (Fach-) Gebiet. Betreiben Sie aktives Networking. Suchen Sie sich einen Fach-Mentor.

▷ Nehmen Sie Kontakt zu möglichen Betreuern auf. Erfahrene Betreuer unterstützen Sie während des gesamten Prozesses bei der Erstellung Ihrer wissenschaftlichen Arbeit.

Verwenden Sie die Methoden aus dem Modul 5.1 „Aktivieren des Vorwissens", um das Themengebiet einzugrenzen.

E2   1.2 Wie formuliere ich eine Forschungsfrage?

Das zentrale Ziel der Forschungsfrage ist es, ihr Thema zielorientiert ein- und abzugrenzen. Dabei ist es zunächst unerheblich, ob ihre Forschungsfrage eher theoretisch (auf Basis der Literatur) oder aber praktisch (unter zusätzlicher Verwendung empirischer Methoden) aufgebaut ist.

Forschungsfragen müssen

> ▷ konkret sein,
>
> ▷ in der vorgegebenen Zeit zu beantworten sein,
>
> ▷ mit den verfügbaren Ressourcen zu beantworten sein.

Nutzen Sie die Methoden aus Modul 5 (Brainstorming, Fragenfächer, ABC-Listen, Wortbilder), um ausgehend von Ihrem Vorwissen die Forschungsfrage weiter zu präzisieren.

Der Wiener Wissenschaftsjournalist *LOTHAR BODINGBAUER* gibt Tipps zur Formulierung von eigenen Forschungsfragen (verändert nach www.phyx.at/forschungsfragencheckliste, 11.7.2014):

> ▷ Können Sie eine Antwort auf Ihre Forschungsfrage formulieren?
>
> Wenn es Ihnen nicht gelingt, eine Antwort zu formulieren, werden Sie auch keine Methode finden, um die Frage zu untersuchen!
>
> ▷ Kennen Sie eine Methode, um die gesuchte Antwort zu finden?
>
> Das von Ihnen gewählte Fachgebiet bietet Ihnen eine Vielzahl erprobter und geeigneter Methoden zur Klärung von Forschungsfragen an. Ihr Betreuer kann Ihnen hier mit Tipps und Rat zur Seite stehen.
>
> ▷ Wird Ihnen die Arbeit an Ihrer Forschungsfrage Freude machen?
>
> Dies ist die zentrale Frage nach der persönlichen Motivation. Rekapitulieren Sie noch einmal Modul 1 dieses Buches.

Auf der Basis Ihrer Forschungsfrage bietet es sich an, eine erste Gliederung zu entwerfen. In den meisten Fachgebieten kann die folgende Gliederung zugrunde gelegt werden:

> ▷ Einleitung
>
> ▷ Theorieteil
>
> ▷ Methodenteil
>
> ▷ Ergebnisteil
>
> ▷ Diskussionsteil
>
> ▷ Literaturverzeichnis
>
> ▷ ggf. Anhang mit Datenmaterial

Während Sie versuchen, die Forschungsfrage hinreichend einzugrenzen, werden Sie feststellen, dass es Ihnen immer wieder an zentralen Informationen mangelt. Dieses Defizit können Sie nur durch gründliche Recherche beheben.

E2   2. Recherche und Sichern der bestehenden Erkenntnisse

Sich mit Forschungsfragen zu beschäftigen, die bereits beantwortet wurden, ist eine Verschwendung von Ressourcen und letztlich auch demotivierend. Diskutieren Sie daher Ihre Forschungsfrage intensiv mit Fachleuten Ihres Gebietes und mit Ihrem Betreuer. Diese Personen haben eine umfassende Übersicht im Fachgebiet und können Sie schon früh davor bewahren, das Rad neu zu erfinden.
Außerdem kennt der Personenkreis die gängige „Standardliteratur" und kann Ihnen Empfehlungen im Hinblick auf Quellen, interessante Zielsetzungen und ggf. Kontakte für die erste Recherche nennen.

E2   2.1 Wo kann ich mit meiner Recherche beginnen?

Eine erste Übersicht zu der gewählten Fragestellung bietet Ihnen heute das Internet, für Fachliteratur sind Bibliotheken nach wie vor die beste Anlaufstelle.

183

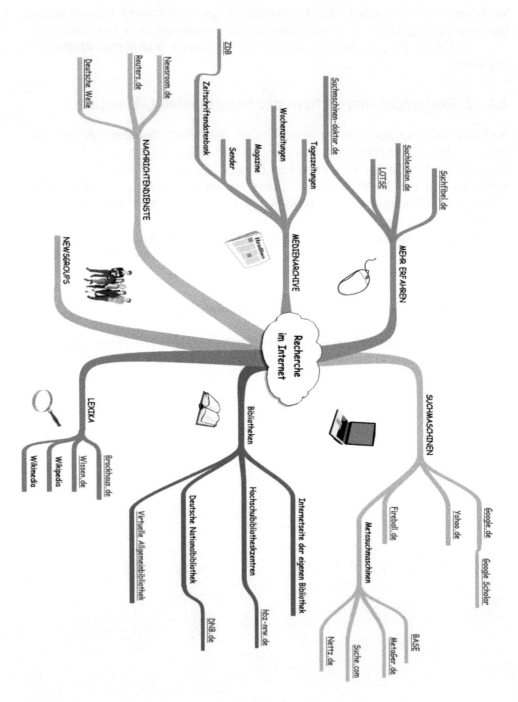

Abbildung 18: Mind Map, Recherche im Internet

Beachten Sie, dass Internet-Informationen von z. B. Wikipedia von der Web-Comunity bestimmt werden. Der Inhalt unterliegt ständiger Veränderung und die Informationen sind nicht durch ein garantiertes Lektorat geprüft.

Nachdem in Wikipedia die Biografien von Abgeordneten des US-Kongresses „geschönt" wurden, formulierte Christian Stöcker in Spiegel-online (2006): „Es scheint nur eine Frage der Zeit, bis sich nicht nur übereifrige Kongressangestellte, sondern professionelle Informationsmanipulierer an der Online-Enzyklopädie zu schaffen machen."

Solche Internet-Informationen sind also mit besonderer Sorgfalt kritisch zu prüfen.

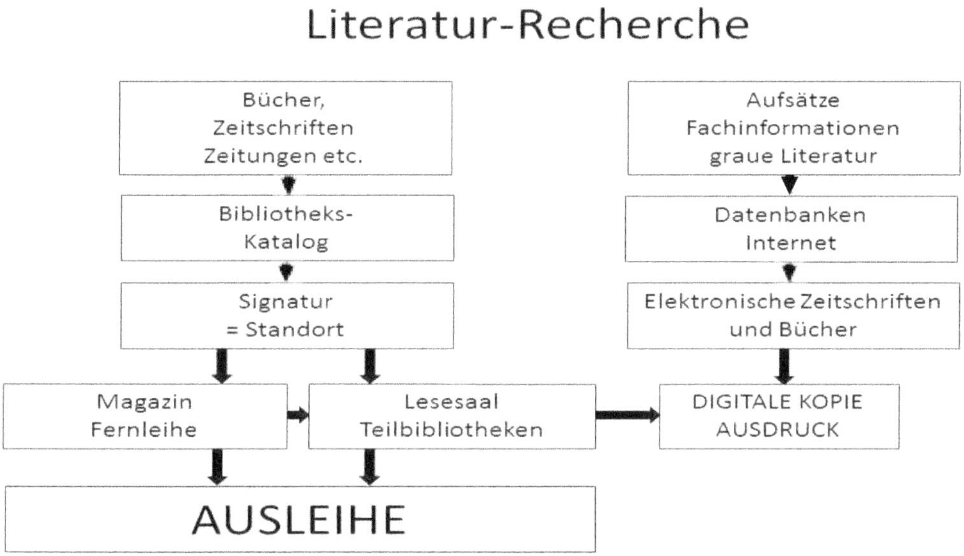

Literatur-Recherche

Abbildung 19: Literatur-Recherche

Außer dem Internet und den Bibliotheken sollten Sie auch die Fachbuchhandlungen in Ihrer Hochschulstadt unter die Lupe nehmen. Dort hält man oft aktuelle und relevante Literatur bereit und kann sie auch fachkundig beraten.

E2 2.2 Wie gehe ich *EffEff* bei der Recherche vor?

Die nachstehenden Überlegungen helfen Ihnen weiter:

> ▷ Habe ich die Fragestellung genau geklärt?
> ▷ Welche Schlagworte sind für meine Fragestellung zentral?

▷ Was sagt die „Tertiärliteratur" (Standardliteratur, Lexika, Handbücher) bezüglich der Fragestellung? Welche weiteren Verweise (Sekundär- und Primärliteratur) finden sich dort?

▷ Wenn Sie – ausgehend von der Tertiärliteratur über die Sekundär-literatur – zur Primärliteratur gelangen, vergrößert sich die Anzahl der Quellen wie ein Schneeball in kürzester Zeit. Hüten Sie sich vor einem „Schneeballsystem": Filtern und reduzieren Sie Quellen.

    ▷ anhand der Beschaffbarkeit (was nutzt ein Buch, das per Fernleihe erst in 12 Wochen verfügbar sein wird?)

    ▷ anhand der Relevanz

    ▷ anhand des Erscheinungsjahres

▷ Verarbeiten Sie die Quellen mit der PQ4R-Methode. Erweitern Sie die Ergebnisse mit Hilfe von Mindmaps oder durch hierarchische Ablauf-pläne.

▷ Erstellen Sie für das Material, das Sie als wertvoll erachten:

    ▷ Autoren-Karten (mit bibliografischen Angaben, ggf. Kurz-Titel bzw. Code)

    ▷ Sachkarten (Zitate, mit Kurz-Titel / Code und Seitenangabe)

▷ Legen Sie sich ein Arbeitstagebuch zu, in dem Sie alle Aspekte, die für Ihr Thema relevant sind, die Ihnen einfallen, über die jemand berichtet, die Sie irgendwo hören etc. in chronologischer Reihenfolge notieren. Ein solches Arbeitstagebuch kann auch zur Vorbereitung der Gespräche mit dem Betreuer wertvolle Hilfen geben.

Heute gibt es eine Vielzahl von Literaturverwaltungsprogrammen. Derartige Programme unterstützen Sie nicht nur bei der Literatursuche und der Litera-turverwaltung (z. B. Verwaltung von Zitaten und anderen Quellen), sondern auch beim Anlegen von Sachkarten und bei der Planung Ihrer Arbeitsschrit-te. Unter dem Stichwort „Literaturverwaltungsprogramme" liefern Ihnen die Suchmaschinen viele Varianten, die z. T. auch unentgeltlich sind.
Ein verbreitetes Programm, das auch von vielen Universitätsbibliotheken empfohlen wird, ist „Citavi".
Lassen Sie sich von den Fachleuten Ihrer Hochschulbibliothek beraten.

Für kleinere Arbeiten und Personen, die lieber im „Papierbetrieb" arbeiten möchten, haben wir in 2.3 eine kurze Anleitung von der Erstellung von Lite-ratur- und Sachkarteien bis zum Manuskript zusammengestellt.

E2 2.3 Von einer Autoren-/Sachkartei bis zum Manuskript

Beginnen Sie von Anfang an alle Informationen, die Sie recherchieren, in Autoren- und Sachkarteien festzuhalten. Eine Autorenkartei muss dabei die folgenden Angaben enthalten:

Vorderseite:

- alphanumerische Markierung
- Name und Vorname des Autors
- Titel und Untertitel des Buches
- Weitere Angaben:
  z. B. Verlag, Erscheinungsort und –jahr, Fundstelle und Signatur

Rückseite

- Notizen
- Anmerkungen
- Schlüsselbegriffe etc.
- Seitenangabe

Beispiel:

G1

Kalina, Sabine u. Wagner, Hardy

Erfolg durch Persönlichkeit

Grundlagen wertschätzender Kommu-nikation; der EffEff STUFEN-Weg zur individuell-optimalen Selbst-Entwicklung

Verlag f. empirische Pädagogik

2. Auflage, Landau 2011

Bibliotheks-Signatur: Wag

„☺☺" oder „☹"

Schlüsselbegriffe: Persönlichkeit, Erfolg

Abbildung 20a: Autoren- und Sachkarten

Sachkarten folgen einem ähnlichen Prinzip. Ein Beispiel finden Sie auf der folgenden Seite.

Literaturkarte   **Signatur:**
Fach: **Standort:**

Quelle, Keywords und Seitenzahlen

Hauptgedanken:

Details:

Abbildung 20b: Autoren- und Sachkarten

Autorenkarten werden fortlaufend alpha-numerisch dokumentiert, z. B. A1, A2 ... Z1 bis Zn. Auf den Sachkarten genügen Hinweise auf die alpha-numerische Kurz-Kennzeichnung der Autoren und die Seitenzahl.

▷ Erstellen Sie nun eine erste, z. B. dekadisch aufgebaute Gliederung. Beschränken Sie sich dabei auf zunächst drei essentielle Abschnitte:

    A. Einleitung (Problemstellung),

    B. Haupt-Teil (gegliedert nach Begriffen / Aspekten des Themas),

    C. Schluss (Zusammenfassung und Problem-Lösung - Bezug zu A)

▷ Versehen Sie jetzt die Sach-Karten (vorläufig in Bleistift-Beschriftung) mit der jeweils zutreffenden Gliederungs-Ziffer (z. B. A2, B5), anschließend sortieren Sie alle Sach-Karten neu als gliederungs-systematische Ablage.

▷ Je nach Vollständigkeit des Sach-Karten-Materials können Sie aus den Sach-Karten-Inhalten (ggf. mit verbindendem Text) – handschriftlich, via Computer oder Diktat – ein Manuskript-Roh-Entwurf der schriftlichen Ausarbeitung erstellen.

▷ Als Letztes erfolgt die Umcodierung der alphanumerischen Autoren-Kennzeichnungen und Quellen-Angaben (ggf. unter Nutzung eines PC-Programms und unter Beachtung der Zitier- und Layout-Vorschriften des wissenschaftlichen Betreuers bzw. des Verlags oder Lektorats).

Wenn Sie den beschriebenen Prozess digital erledigen möchten, ist „CUE-Cards" ein interessantes, wenn auch in der aktuellsten Version kostenpflichtiges, Programm. Es hilft Ihnen dabei, Ihr Wissen im oben beschriebenen Sinne optimal zu strukturieren und vor allem wieder abzurufen.

E2   3. Der Forschungsprozess im engeren Sinne

Anmerkung: Manche Autoren fassen unter dem Begriff „Forschungsprozess" den gesamten Werdegang einer wissenschaftlichen Arbeit (von der Forschungsfrage bis zur Veröffentlichung) zusammen.

Nach der Formulierung der Forschungsfrage und der Klärung des Erkenntnisstandes beginnt der eigentliche Forschungsprozess. Je nach Fach und Forschungsfrage können dabei reine Literaturarbeiten, reine Empiriearbeiten oder eine Kombination aus beidem im Fokus stehen.

Die folgenden Abschnitte sind klassischerweise immer vorhanden:

▷ Entwicklung des „Forschungsdesigns": mit Hypothesenbildung, empirischer Untersuchbarkeit, Konditionalsatzformulierung, Fragen der Generalisierbarkeit oder Falsifizierbarkeit u. v. m.

▷ Methodenwahl bzw. Methodenentwicklung

▷ Datenerhebung

▷ Datenerfassung und -Speicherung

▷ Datenanalyse und Auswertung

E2   4. Darstellung des Forschungsergebnisses (Diskussionsteil)

Wenn Sie ihre Forschungsergebnisse im Diskussionsteil darstellen, haben Sie Gelegenheit Schlussfolgerungen aus dem gesamten Forschungsprozess zu ziehen. Das Ziel ist es, die Ergebnisse in die Form einer zusammenhängenden, übersichtlichen, logischen und nicht anfechtbaren Darstellung zu bringen. Achten Sie darauf, den Ergebnisteil streng vom Diskussionsteil zu trennen: Erst nach der Darstellung der Ergebnisse dieselben diskutieren.

Hier einige Fragen, denen Sie nachgehen sollten (nach Lamprecht 1999, S. 92) :

▷ Inwieweit können Sie anhand der Forschungsergebnisse Rückschlüsse auf Ihre Ausgangsfrage ziehen?

▷ Welche Einwände kann man Ihren Schlüssen entgegensetzen? Wie können Sie diese entkräften?

▷ Benennen Sie Autoren, die zu vergleichbaren Ergebnissen gekommen sind, wie Sie. Wenn sich die Ergebnisse unterscheiden oder sogar widersprechen, suchen Sie nach Erklärungen für die Diskrepanzen.

▷ Denken Sie über einen Ausblick nach. Was trägt die Arbeit zum Forschungsstand bei? Wie könnte man weiter forschen?

Im Diskussionsteil dürfen Sie durchaus auch Spekulationen formulieren, sofern diese sachlogisch begründbar sind. Beachten Sie aber den Unterschied zwischen Schlussfolgerungen (die auf den Forschungsergebnissen basieren) und Spekulationen (die nicht oder noch nicht auf Forschungsergebnissen beruhen).

E2   4.1 Muss ich formale Kriterien beachten?

Informieren Sie sich bei Ihrem Betreuer, welche formalen Anforderungen (Zitierweise, Seitenrand, Schriftgröße etc.) an Ihre Arbeit gestellt werden. Diese formalen Richtlinien richten Sie zu Beginn in Ihrem Textverarbeitungsprogramm (z. B. Open Office) ein. Für „Word" geben z. B. KARMASIN und RIBING (2013, S. 59 ff.) ausgezeichnete Hilfestellungen.

Zitation ist die direkte (wörtliche) oder indirekte (Sinn-) Wiedergabe fremder Gedanken oder Materialien.
Sie können mit vollständigen Fußnoten zitieren oder mit Kurz-Angaben unmittelbar im Anschluss an das Wort- oder Sinn-Zitat, ggf. nur Autor, Jahreszahl und Seiten-Angabe.

Beispiel: *„Dieser Band 1 der STUFEN-Schriftenreihe beruht auf der fundierten Erfahrung, dass Selbst-Erkenntnis und Menschen-Kenntnis essenziell wichtige Erfolgs-Grundlagen sind: ..."* Wagner / Kalina 2011, Cover

Wörtliche Zitate werden in Anführungszeichen gesetzt; im Anschluss erfolgt der Verweis auf Autor, Jahr und unbedingt Seitenzahl. Indirekte Zitate werden durch geeignete Phrasen, wie z. B. *„nach Kalina / Wagner (2011, S. 12) ..."* oder *„wie bereits Wagner / Kalina (2011, S. 12) darlegten ..."* gekennzeichnet!

190

Im Literaturverzeichnis findet sich jeder zitierte Autor mit allen bibliografischen Angaben wieder. Zum Beispiel so:

Wagner, Hardy / Kalina, Sabine (2011): Erfolg durch Persönlichkeit. Grundlagen wertschätzender Kommunikation; der EffEff-STUFEN-Weg zur individuell-optimalen Selbst-Entwicklung, Band 1, 2., überarbeitete und aktualisierte Auflage. Landau: Verlag Empirische Pädagogik.

Die Verlagsangabe ist fakultativ, aber oft hilfreich!

Wesentlich ist: Das zitierte, oder das dem Sinn nach übernommene Gedankengut muss eindeutig belegt und überprüfbar sein! Deshalb: Angabe aller benutzten Quellen im obligatorischen Literatur-Verzeichnis!

Was ist ein Plagiat?

Ein Plagiat ist der Diebstahl fremden geistigen Eigentums! Ein zentrales Kriterium wissenschaftlichen Arbeitens ist die Nachprüfbarkeit. Der Beleg (Quelle) fremden Materials, egal ob es sich um Texte, Bilder oder auch persönliche Mitteilungen handelt, ist ein absolutes Muss im Wissenschaftsbetrieb – dies ist Ihnen sicher auch aus den Presse-Berichten über die Aberkennung etwa des Doktor-Grades von prominenten Zeitgenossen bekannt.

Wie formuliere ich „wissenschaftlich"?

Häufig herrscht in den verschiedenen Fachgebieten ein typischer Stil vor. Da Sie in der Phase der Literaturbeschaffung sehr viel gelesen haben, ist Ihnen dieser Stil sicher schon vertraut geworden.
Dennoch kann es eine Hilfe sein, sich mit dem Schreiben wissenschaftlicher Texte grundlegend auseinanderzusetzen. Deshalb empfehlen wir Ihnen zum Abschluss dieser Kurzübersicht einige einschlägige Standardwerke:

Franck, N. und Stary, J.: Die Technik wissenschaftlichen Arbeitens. Eine praktische Anleitung. 13. durchgesehene Auflage Paderborn: UTB 2006.

Karmasin, M. und Ribing, T.: Die Gestaltung wissenschaftlicher Arbeiten. Ein Leitfaden für Seminararbeiten, Bachelor-, Master- und Magisterarbeiten sowie Dissertationen. 7. aktualisierte Aufl., Paderborn: UTB 2013.

Kütz, S.: Wissenschaftlich formulieren. Tipps und Textbausteine für Studium und Schule. 2. überarbeitete Aufl., Paderborn: UTB 2012.

Lamprecht, J.: Biologische Forschung. Von der Planung bis zur Publikation. Fürth: Filander 1999.

Hier ist Platz für Ihre Notizen zum Modul – gerne auch als Mind Map:

Modul 7: Wissens-Überprüfung

Zusammen mit Prüfungen
wird erstaunlich viel Wissen abgelegt.
(Wolfgang Mocker)

In diesem Modul zeigen wir, wie Sie sich auf Prüfungssituationen vorbereiten und wie Sie sich in verschiedenen Prüfungssituationen „taktisch" richtig
verhalten können bzw. sollten.

Viele Tipps und Tricks aus vorangegangenen Modulen werden Sie hier wie-
derfinden, besonders solche aus Modul 1.

7.1 Prüfungsvorbereitung

Die Prüfungsvorbereitung beginnt bereits zu Beginn des Schuljahres bzw.
Semesters!

Vor Beginn eines Schuljahres oder Semesters zu planen, bedeutet zunächst
und vor allem eine Schätzung des notwendigen Zeitbedarfs. In einer Phase,
in der noch keine Klausur-Termine etc. liegen, ist ausreichend Zeit für eine
EffEff Planung. Damit wird eine gute Grundlage geschaffen, im Sinne eines
„Controlling" drohende Abweichungen zu erkennen und die Planung zu optimieren (vgl. hierzu Modul 8).

Nutzen Sie *EffEff*-Ideen zur Prüfungsvorbereitung – verhalten Sie sich effektiv plus effizient!

Effektivität bedeutet „die richtigen Dinge zu tun". Setzen Sie also Prioritäten
und überlegen Sie genau, was Ihnen sehr oder weniger wichtig ist und was
(vielleicht) unwichtig oder „nur" dringend ist.

Effizienz bedeutet „Dinge richtig tun". Nachdem Sie sich entschieden haben,
was Sie erreichen wollen, setzen Sie diese Aufgaben dann wirksam, möglichst optimal um.

In STUFEN-Baustein Z lernen Sie mehr über die Bedeutung des *EffEff*-
Planens und *EffEff*-Arbeitens.

7.1.1 Prüfungsvorbereitung am Beispiel eines Rennfahrers

Bereits (lange) vor dem Rennen bereitet der Rennfahrer sich intensiv vor, sowohl mental als auch technisch. Die Vorbereitung wird möglichst genau auf die Notwendigkeiten des Rennens abgestimmt, sodass präzise die richtigen Übungen und Probefahrten (Effektivität) durchgeführt werden können.

Das Training wird dann wirksam umgesetzt (Effizienz) und so organisiert, dass bis zum Wettkampf die optimalen Voraussetzungen für Erfolg gegeben sind.

Dann beginnt das eigentliche Rennen, Runde für Runde: Mit gut geplanten Boxenstopps bleiben genug Reserven für die Zielgerade!

Prüfungsvorbereitung während der „Renn-Runden", d. h. im Schuljahr bzw. Semester

Während des Schuljahrs bzw. Semesters gilt für Unterricht, Vorlesungen oder Vorträge:

- ▷ Fertigen Sie Vortrags-Mitschriften (vgl. SVM) an und / oder Mind Maps.
- ▷ Nutzen Sie die TQ3L-Methode, um sich rechtzeitig einzustimmen und Ihr Vorwissen zu aktivieren!
- ▷ Hören Sie aktiv zu!
- ▷ Formulieren Sie Fragen (ggf. direkt an den Dozenten). Stören Sie aber keinesfalls andere mit Fragen.

Zuhause arbeiten Sie folgendermaßen:

- ▷ Wiederholen Sie den Lernstoff kontinuierlich während des Schuljahres bzw. Semesters (Zeitplanung).
- ▷ Bereiten Sie zeitnah nach: Markierungen, Notizen, Mind Maps, Beseitigung von Unklarheiten.
- ▷ Nutzen Sie die Möglichkeiten eines ergänzenden Literaturstudiums (mit PQ4R-Methode, Mind Maps, Karteikarten) auf der Basis von Standardliteratur und / oder der Empfehlung des Vortragenden.
- ▷ Nutzen Sie Sach- u. Lernkarten zum *EffEff*-Pauken von Faktenwissen.
- ▷ Beteiligen Sie sich an Team-Arbeit (je nach Ihren Lern-Präferenzen).
- ▷ Bereiten Sie sich konsequent vor, das heißt: Wiederholen Sie möglichst jeweils vor der nächsten Veranstaltung (ggf. im Team).

▷ Manchmal genügt es, wenn Sie sich in den Minuten vor Beginn des Unterrichts (der Vorlesung, des Vortrags) anhand Ihrer Aufzeichnungen kurz einzustimmen (TQ3L-Methode).

So wie ein Rennfahrer seine Runden fährt, sollten Sie versuchen, Ihre (vorstehend genannten) „Abläufe" zur Routine auszubilden, sodass Ihnen die notwendige Kraft für den Endspurt verbleibt.

Prüfungsvorbereitung auf der „Zielgeraden", d. h. vor der Prüfung

▷ Verschaffen Sie sich zuerst eine Übersicht: Was ist bis wann zu erledigen?

▷ Fertigen Sie einen Zeitplan an, Sie können z. B. auch eine Mind Map benutzen.

▷ Sehen Sie Ihre Mitschriften (SVM) und Mind Maps durch.

▷ Was hat der Prüfer (nachdrücklich) wiederholt? Räumen Sie diesen Aspekten eine hohe Priorität ein!

▷ Wiederholen Sie vertiefend den wesentlichen Lernstoff und bereiten Sie ihn durch Mind Maps und Karteikarten etc. weiter auf!

▷ „Pauken" Sie den schwer eingängigem Lernstoff („Widerspenstiges") mit Hilfe einer 5-Fächer-Lernkartei.

▷ Beteiligen Sie sich an Team-Arbeit, sofern Ihr Team produktiv ist und Ihnen Teamarbeit liegt und nutzt!

▷ Sammeln Sie Informationen über spezielle Angewohnheiten, Lieblingsthemen etc. der einzelnen Prüfer.

▷ Überlegen Sie oder erkundigen Sie sich: Welche Themen könnte der Prüfer auswählen?

7.2 Psychologisch "richtiges" Prüfungsverhalten
   Teil I: Schriftliche Prüfung

7.2.1 Vor der Prüfung

Entwickeln Sie, basierend auf einer *EffEff*-Vorbereitung, eine positive innere Einstellung:

Ich habe alles getan, was ich tun konnte!

Werde ich es schaffen?

Ja, ich schaffe das!

▷ Stellen Sie sich eine positive Prüfungssituation mit willkommenen Fragen intensiv und wiederholt vor, einschließlich der guten Gefühle nach der erfolgreich bestandenen Prüfung. Insbesondere in Modul 1 finden Sie eine Reihe von Übungen, die Ihnen dabei helfen können. Entspannen Sie sich durch Spaziergänge, angenehme Musik, gute Gespräche und Entspannungstechniken.

▷ Prüfen Sie die Vollständigkeit der notwendigen Utensilien: zugelassene Hilfsmittel, Papier, Stift, Marker, Lineal, Taschenrechner, Uhr etc., aber auch Snacks, Obst, Getränke, (soweit nötig) Medikamente, Taschentücher, persönlich Wichtiges.

▷ Eine Überprüfung der notwendigen Utensilien ist wichtig; sie dient der vorsorglichen Stressvermeidung in der Prüfung und schenkt Ihnen mehr Gelassenheit.

▷ Achten Sie darauf, nicht zu früh im Prüfungs-Vorraum einzutreffen: Sie verzichten damit bewusst auf Kontakte mit aufgeregten Mit-Prüflingen und auf „Schauer-Geschichten" bereits geprüfter Kandidaten!

meine
Utensilien

Ü66: Erstellen Sie eine Checkliste Ihrer Utensilien für eine schriftliche Prüfung!

- ✓ Stifte

- ✓ Textmarker

- ✓ Lineal

- ✓ Taschenrechner

- ✓ Getränke

- ✓ Snacks bzw. Schokolade etc.

- ✓ Taschentücher

- ✓ ....

- ✓ ....

7.2.2 Während der schriftlichen Prüfung

Bringen Sie Ihren Motor langsam auf Touren!

▷ Lesen Sie zunächst in Ruhe die Aufgabe, markieren Sie Wichtiges, (z. B. Operatoren), machen Sie sich klar, was der Prüfer möchte.

▷ Notieren Sie sofort Ideen und eventuelle Geistesblitze, die Ihnen beim Lesen kommen.

▷ Markieren Sie möglichst frühzeitig Paukwissen („Widerspenstiges").

▷ Verschaffen Sie sich zunächst einen Überblick und machen Sie sich dann mit dem Material intensiver vertraut.

▷ Erstellen Sie eine grobe Zeitplanung – inkl. notwendiger Pausen!

▷ Sofern eine Gewichtung für die Bewertung der Lösungen angegeben ist, kann Ihnen dies bei den Prioritäten für Ihre Zeitplanung helfen.

▷ Denken Sie daran, dass Sie Korrekturlesen sollten und ggf. sogar die Wörter zählen müssen.

Drehen Sie gelassen und konzentriert Ihre Runden!

▷ Beginnen Sie erst dann mit der eigentlichen Erarbeitung. Sichten Sie das Material intensiv, wobei Sie die zentrale Fragestellung im Hinterkopf behalten sollten.

▷ Markieren Sie mit System, strukturieren Sie z. B. mit einem Hierarchischen Abrufplan, fertigen Sie eine Mind Map an ...

▷ Stellen Sie Verständnisfragen an die Aufsicht, soweit dies erlaubt ist.

▷ Aktivieren Sie Ihr Vorwissen! Fertigen Sie erste Notizen an, führen Sie ein Brainstorming mit sich selbst durch oder wenden Sie z. B. den Fragenfächer oder die Technik der Wortbilder an.

▷ Bei längeren Texten setzen Sie die PQ4R-Methode ein, die Sie oft geübt haben.

▷ Entwerfen Sie (ggf. alternative) Lösungswege!

▷ Gliedern Sie Ihr Vorgehen und entwickeln Sie einen roten Faden.

▷ Haben Sie Mut zur Lücke und vertrauen Sie Ihrem Gehirn! Zeigen Sie Mut, Ihr Unterbewusstsein „anzuzapfen" (was etwas Zeit benötigt).

▷ Beantworten Sie die Fragen/die Aufgabenstellung genau!

▷ Formulieren Sie den Text. Beachten Sie dabei Ihre Gliederung!

▷ Falls Sie – was sinnvoll sein kann – später Ergänzungen vornehmen möchten,

    ▷ schreiben Sie nicht zu engzeilig!

    ▷ lassen Sie am unteren Seitenrand etwas Platz.

▷ Vermeiden Sie (unbeabsichtigte) Redundanz!

▷ Beachten Sie die etwaigen Formalien, z. B. eine Rand-Vorschrift.

Machen Sie rechtzeitig Boxenstopps!

▷ Halten Sie Ihre geplanten Pausen ein.

▷ Trinken Sie genug.

▷ Essen Sie eine Kleinigkeit.

Bereiten Sie sich auf den Zieleinlauf vor!

▷ Streichen Sie bearbeitete Aufgaben durch, dann sehen Sie jederzeit, was Sie bereits bearbeitet haben und was noch offen ist!

▷ Lesen Sie Korrektur – wofür Sie zuvor bereits Zeit eingeplant hatten!

7.2.3 Im Ziel, d. h. nach der Prüfung:

Belohnung ist wichtig, also: Feiern Sie Ihren Erfolg!

7.3 Psychologisch "richtiges" Prüfungs-Verhalten Teil II: Mündliche Prüfung

7.3.1 Vor der Prüfung

Hier gelten grundsätzlich dieselben Empfehlungen wie für schriftliche Prüfungen, vor allem auch im Hinblick auf Ihre innere Einstellung:

Ich habe alles getan, was ich tun konnte!

Werde ich es schaffen?

Ja, ich schaffe das!

▷ Während der Vorbereitungsphase sollten Sie sich mit der Prüfungssituation vertraut machen:

▷ Nehmen Sie – wenn möglich – als Gast an Prüfungen teil, sowohl bei dem Prüfer, der Sie vermutlich prüfen wird als auch in dem Fach, in dem Ihre Prüfung bevorsteht.

▷ Simulieren Sie in einer Lerngruppe den möglichen Prüfungsablauf. Wechseln Sie dabei mehrfach die Rolle vom Prüfling zum Prüfer und zurück.

▷ Welche Fragen wären Ihnen sehr unangenehm? Bereiten Sie Antworten auf diese Fragen vor.

▷ Halten Sie Probepräsentationen vor einer Präsentationsprüfung.

7.3.2 Während der Prüfung:

Die mündliche Prüfung – oder auch eine Präsentation – bietet im Gegensatz zu Klausuren eine besondere zwischenmenschliche Komponente, mit zusätzlichen Chancen und Risiken:

▷ Nehmen Sie Augenkontakt mit dem oder den Prüfer(n) auf – freundlich, aber unaufdringlich.

▷ Beachten Sie eine evtl. übliche Sitzordnung! („Übliches" Verfahren ggf. vorher klären)

▷ Hören Sie aktiv zu! Konkret: Signalisieren Sie Verständnis, indem Sie den Inhalt der Frage bestätigen bzw. die Frage so wiederholen, wie Sie sie verstanden haben. Dies bietet Zeitgewinn (auch zum Nachdenken) und gibt Ihnen zugleich ein Gefühl der Sicherheit!

▷ Stellen Sie Ihren Antworten ggf. einen kurzen Überblick voran: Zeigen Sie Zusammenhänge auf und bauen Sie dabei vorhandenes und verankertes Wissen ein.

▷ Vorsicht: Es besteht die Gefahr, dass ein wohlwollender Prüfer das Thema wechselt, weil Sie ihm ungewollt (!) - durch ein Stichwort - die Möglichkeit dazu bieten.

▷ Also: Erwähnen Sie keinesfalls "beiläufig" Begriffe, die einen (evtl. bei Ihnen nicht vorhandenen) "Tiefgang" erfordern könnten, falls ein Prüfer hier nachfragen sollte!

▷ Unterbrechen Sie – abgesehen von Verständnis-Fragen – einen Prüfer keinesfalls. Dies ist nicht nur unhöflich, sondern kann auch sehr unklug sein, wenn Sie noch Zeit benötigen, um sich zu sammeln oder nachzudenken!

▷ Schweigen Sie einen Prüfer keinesfalls an! Zeigen Sie notfalls offen Nervosität oder signalisieren Sie „Fehlanzeige".

▷ Bieten Sie notfalls selbst ein Thema an, natürlich nur ein solches, das auf fundiertem, ggf. bewusst vorbereitetem Wissen Ihrerseits beruht!

Denken Sie immer daran: Erfahrene und wohlmeinende Prüfer wollen feststellen, was ein Kandidat weiß, weniger, was er nicht weiß!

Beziehen Sie Reaktionen eines etwaigen Publikums (z. B. Lachen oder Murmeln) nicht auf sich! Lassen Sie sich nicht verunsichern. Andere kennen die Ursachen der Erheiterung, z. B. einen Scherz, den Sie ggf. nicht gehört haben.

7.4 Nach jeder Prüfung

Reflektieren Sie nach jeder mündlichen und schriftlichen Prüfung Ihren Erfolg:

▷ Wie war meine Motivation? (Modul 1)

▷ Welche Methoden habe ich eingesetzt und warum? (Modul 2-6)

▷ Bin ich mit meiner Zeitplanung zufrieden? (Modul 7 und 8)

Eine solche persönliche Rückschau sollten Sie auf die gesamte Vorbereitungs- und Prüfungssituation beziehen.

▷ Sprechen Sie, wenn sinnvoll und möglich, mit dem/den Prüfer(n).

▷ Nehmen Sie – soweit zulässig – Einblick in Ihre bewerteten Klausuren!

▷ Befragen Sie Freunde und Verwandte zu Ihrem Verhalten während der Vorbereitungszeit.

Weitere Hinweise, die für Sie nach einer Prüfung hilfreich sein könnten:

▷ Erkunden Sie Ihre Gefühle!

▷ Trennen Sie Ihre Leistung von Ihrer Person: „Ich bin o. k."

▷ Reflektieren Sie Ihren Prüfungs-Erfolg anhand Ihrer Lern-Leistung bzw. Vorbereitung!

▷ Suchen Sie Rückmeldungen als Chance zur Weiterentwicklung!

▷ Entwickeln Sie erfolgreiche Strategien weiter!

▷ Öffnen Sie sich ggf. auch für neue Strategien!

▷ Belohnen Sie sich! So verankern Sie Ihren Lernerfolg!

Nehmen Sie sich unbedingt die Zeit für eine solche persönliche Rückschau, denn

Nach der Prüfung ist vor der Prüfung!

Modul-Rückblick durch die Brille Ihrer Lern-Persönlichkeit

Ziel dieses Moduls war es, Ihnen wertvolle Tipps und Tricks zur „taktisch richtigen" Prüfungsvorbereitung zu geben.

Im nächsten Modul erfahren Sie, wie es Ihnen gelingen kann, Ihr neues Wissen optimal anzuwenden: Umsetzung mit Prioritäten.

Bevor Sie nun aber zum nächsten Modul gehen, **ziehen Sie bitte jetzt Ihre „Lern-Persönlichkeits-Brille" auf!**

Betrachten Sie die Informationen des Moduls „Wissens-Überprüfung" im Hinblick auf Ihre Lern-Persönlichkeit.

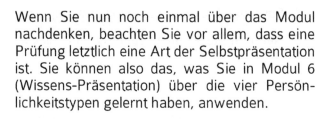

Wenn Sie nun noch einmal über das Modul nachdenken, beachten Sie vor allem, dass eine Prüfung letztlich eine Art der Selbstpräsentation ist. Sie können also das, was Sie in Modul 6 (Wissens-Präsentation) über die vier Persönlichkeitstypen gelernt haben, anwenden.

Grundsätzlich sollten Sie während einer Prüfung mit Ihren Stärken arbeiten, sie aber nicht übertreiben. Besonders bei Prüfungen, die Kompetenzen im Bereich Ihrer Nicht-Stärken erfordern, müssen Sie sich bei der Vorbereitung Ihren Nicht-Stärken soweit zuwenden, wie es für den Erfolg nötig ist. Dabei kann Lernen in der Kleingruppe sehr hilfreich sein – überlegen Sie einmal:

Wenn zum Beispiel im (Pflicht-) Fach Mathematik Genauigkeit und Präzision eingefordert werden, muss eine gelbe Lern-Persönlichkeit so viel Kompetenz in diesem Bereich erwerben, wie es für das Bestehen der Prüfung notwendig ist. Hierfür haben blaue und rote Lern-Persönlichkeiten bestimmt den einen oder anderen guten Rat.

Wenn im (Pflicht-) Fach Deutsch ein Gedicht aus der Romantik zu interpretieren ist, dann tut auch eine blaue Lern-Persönlichkeit gut, daran ihre Kompetenz im Verständnis zwischenmenschlicher Beziehungen soweit zu optimieren, dass sie sie nicht begrenzt. Gelbe und grüne Lern-Persönlichkeiten können mit dem einen oder anderen Tipp zur Seite stehen.

Da jede Prüfung auch immer mit Kommunikation zu tun hat, ist es klug, sich vor Prüfungsbeginn zu fragen, welche Persönlichkeitsstruktur der Prüfer hat. Beantworten Sie doch einmal für sich folgende Fragen (sofern Sie Ihren Prüfer gut genug kennen).

1) Wenn der Prüfer spricht, wirkt er ...

    a) direkt

    b) offen

    c) zurückhaltend

    d) korrekt

2) Wenn der Prüfer zuhört, ...

    a) neigt er dazu, schnell zu unterbrechen

    b) ist er eher aktiv und teilnehmend

    c) hört er eher geduldig zu

    d) hört er eher aufmerksam zu und hinterfragt detailliert

3) Wenn der Prüfer Fragen stellt, geht es um ...

    a) das WAS?

    b) das WER?

    c) das WIE?

    d) das WARUM?

4) Bei Gesprächen diskutiert der Prüfer ...

    a) hartnäckig, möchte Recht behalten

    b) emotional, wechselt die Themen

    c) vermittelnd und entgegenkommend

    d) überlegt und ist um sachliche Logik bemüht

5) Wenn Sie die Gestik und Mimik Ihres Prüfers beobachten, sehen Sie ...

    a) ein eher verschlossenes Gesicht, wenn, eher deutliche Gestik

    b) einen offenen Gesichtsausdruck, lebhafte Gestik

    c) einen freundlichen Gesichtsausdruck, zustimmendes Nicken

    d) wenig Mimik und Gestik, also vor allem Rückhaltung

6) Wenn Ihr Prüfer Entscheidungen trifft, reagiert er ...

  a) eher schnell

  b) eher spontan, nicht immer verbindlich

  c) eher abwägend, braucht Zeit

  d) eher vorsichtig und detailliert nachfragend

7) Wenn es im Gespräch zu Konflikten kommt, reagiert Ihr Prüfer ...

  a) kurz angebunden und fordernd

  b) ausweichend und u. U. angreifend

  c) zurückhaltend und Konfrontation vermeidend

  d) diplomatisch

Sicher haben Sie bemerkt, dass die Buchstaben in etwa den vier Persönlich-keitstypen zugeordnet werden können: (a: rot, b: gelb, c: grün, d: blau). Je genauer Ihr Bild vom Prüfer ist, desto genauer können Sie vermuten, wie Sie einen Prüfer besonders beindrucken können. Dies gilt insbesondere im Bereich Ihres Auftretens, hier macht der „Ton die Musik". Wenn Sie die 7 Fragen beantworten können, treffen Sie mit höherer Wahrscheinlichkeit den richtigen Ton.

Vorsicht: Auch oder gerade wenn Sie Ihren Prüfer genau kennen, kann dies Fachwissen nicht ersetzen. Grundlage für den Prüfungserfolg bleibt selbst-verständlich Ihre gute inhaltliche Vorbereitung.

Modul 8: Ziel-Erreichung durch Prioritäten
EffEff-Umgang mit der Zeit

Wer den Hafen kennt, in den er segeln will,
für den ist jeder Wind ein günstiger!

(nach Seneca)

In diesem letzten Modul erfahren Sie, was Sie tun müssen, um Ihre (Lern-) Ziele ab sofort umzusetzen. Die wesentliche Maßnahme klingt banal: Sie müssen „nur" bewusst entscheiden, was Ihnen am wichtigsten ist – Sie müssen Prioritäten setzen!

Die Zeit ist – nach der Gesundheit – unser wertvollstes Gut, wertvoller als Geld! Im Gegensatz zur Gesundheit ist die Zeit aber gleich verteilt: Jeder Mensch verfügt über 24 Stunden pro Tag, sein ganzes Leben lang. Zeit ist allerdings auch „irreversibel", sie kann nicht gehortet oder aufgeschoben werden – gesparte bzw. nicht genutzte Zeit wird nicht nur nicht verzinst, sie ist verloren! Der „angemessene" Umgang mit der Zeit ist deshalb so wertvoll und für den Erfolg so wichtig!

Was Sie mit Ihrer Zeit anfangen und wie Sie die Zeit erleben, ist eine Frage der richtigen Planung, denn Zeit-Planung ist Erfolgs-Planung, und Erfolgs-Planung ist immer auch Lebens-Planung.

Um mit der Zeit *EffEff* umgehen zu können, bedarf es der

Ziele und Prioritäten.

8.1 Setzen Sie sich Ziele!

ich setze mir Ziele

Ü67: Schreiben Sie einmal auf, welche Nachteile es haben könnte, sich ganz klare, konkrete Ziele zu setzen! Versuchen Sie, wenigstens drei Gründe zu finden!

....

....

....

Erkennen Sie hieraus – umgekehrt – zugleich die entscheidenden Vorteile?

Es lohnt sich auf jeden Fall, Ziele zu formulieren!

Sie haben in Modul 1 gelernt, wie entscheidend wichtig es für Ihre Motivation ist, die eigenen Ziele zu kennen und sie SMART zu formulieren. In den Modulen 2 bis 7 haben Sie sich das nötige Wissen und viele hilfreiche Lern-Methoden erarbeitet, um Ihre Ziele leichter erreichen zu können.

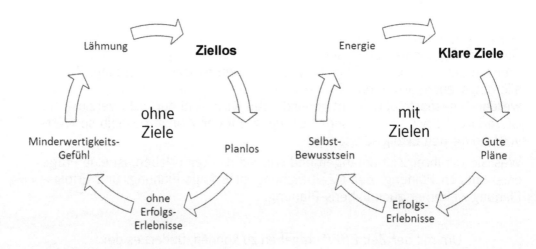

Abb. 21: Leben mit Zielen / ohne Ziele

8.2 Machen Sie Schriftlichkeit zum grundlegenden Prinzip!

Ü68: Kreuzen Sie die Argumente an, denen Sie zustimmen!

▷ „Alles aufzuschreiben..."◁

ich geb's mir schriftlich

☐ bietet Gedächtnis- und Arbeits-Entlastung sowie letztlich Zeitgewinn

☐ führt zu erhöhter Konzentration

☐ vermag die Motivation zu steigern

☐ ermöglicht durch die Dokumentation überhaupt erst eine Kontrolle

☐ bewirkt automatisch eine bessere Ordnung

☐ steigert durch die höhere Transparenz die Kreativität und

☐ führt schlussendlich auch zu einer Steigerung des Erfolgs!

Wenn Sie alle Argumente angekreuzt haben, liegen Sie völlig richtig!
Nicht nur für die Planung, auch während Ihrer Arbeitsphasen ist die Nutzung des Prinzips Schriftlichkeit sehr hilfreich. Dabei spielt es keine Rolle, ob Sie manuell oder elektronisch arbeiten.

In diesem Buch haben Sie bereits entsprechende Methoden kennengelernt, beispielsweise Mitschriften (in verschiedenen Varianten), Mind Maps, Karteikarten, usw.

8.3 Setzen Sie Prioritäten!

Wollen Sie Ihre Zeit *EffEff* – effizient und effektiv – einsetzen, dann ist das Setzen von Prioritäten der entscheidende erste Schritt.

Prioritäten setzen bedeutet:

das jeweils Wichtigste zuerst tun!

Prioritäten bestimmen unser Handeln, auch wenn uns das nicht (immer) bewusst ist. Sie sind somit Grundlage unseres Erfolgs!

Beispiele für mögliche Prioritäten im Bereich des Lernens sind:

▷ Mitschriften spätestens am nächsten Tag überarbeiten

▷ Lern-Kartei anlegen und laufend pflegen

▷ mit der Prüfungs-Vorbereitung früh z. B. 6 Wochen vor einer Abschlussprüfung beginnen

Sie erkennen selbst, dass Sie auf diese Weise Ihren Lern- bzw. Prüfungs-Stress reduzieren können.

Fragen Sie sich immer: „WAS ist – wirklich – wichtig?"

Eine einfache, aber verlässliche Kontroll-Frage zur Wichtigkeit lautet übrigens: *Was passiert Schreckliches, wenn ich diese Aufgabe nicht erledige?*

Es gilt folgender Grundsatz:

Wichtiges hat immer die höhere Priorität!

Wichtiges geht dem (nur) Dringendem vor!

Sind Aufgaben wichtig und dringend, müssen Sie sie natürlich sofort erledigen. Aber Sie sollten sich in einem solchen Falle überlegen, warum eine wichtige Aufgabe dringend werden konnte. Oft einfach nur, weil Sie unter der weitverbreiteten „Aufschieberitis" (wissenschaftliche Bezeichnung: *Prokrastination*) leiden und diese Aufgabe nicht erledigten, als noch genug Zeit war. Und das, obwohl Sie wichtig war!

Sicher erkennen Sie an diesem Beispiel, dass dieses Problem bei guter Zeitplanung mithilfe von Prioritäten sehr wahrscheinlich nicht aufgetreten wäre und Sie sich weniger gestresst gefühlt hätten.

8.4 Planen Sie Ihren Lernprozess!

Planung steigert die Motivation und erleichtert die Umsetzung! Deshalb gilt: Sie müssen planen, und zwar schriftlich!

Wenn Sie planen, ...

> ▷ arbeiten Sie anschließend schneller, leichter und erfolgreicher
> ▷ machen Sie sich Ihre Ziele bewusst und behalten sie im Auge
> ▷ unterscheiden Sie Wichtiges von weniger Wichtigem bzw. von „nur" Dringendem

Folgende Maßnahmen helfen Ihnen ab sofort beim Planen:

▷ „A hoch 3": Alle Aufgaben aufschreiben!

▷ Führen Sie hierfür eine **To-Do-Liste**, auf der Sie täglich alles Unerledigte (mit Prioritäten!) notieren. Vergessen Sie dabei nicht, die Fertigstellungs-Termine zu erfassen!

▷ Schreiben Sie zudem Ihre Ziele, Visionen und Erfolge in einem **Wunsch-, Ziel- und Erfolgs-Tagebuch** auf!

▷ Sehr hilfreich sind auch **Lernverträge**, die Sie mit sich selbst vereinbaren. Sie erzeugen Verbindlichkeit! Beginnen Sie mit nur einem Ziel und wenden Sie die SALAMI-Taktik (vgl. folgende Seite), um Teilziele zu formulieren. Ein solcher Vertrag könnte so aussehen:

Ü69: Schließen Sie einen ersten Lernvertrag mit sich ab!

Ich verpflichte mich folgendes Ziel zu erreichen:

....

Diese Teilziele werde ich umsetzen bis:

.... bis ....

.... bis ....

mein Lernvertrag

So erstellen Sie Wochen- und Tagespläne:

Die Anfertigung eines Tagesplans sollten Sie möglichst am Vorabend auf Basis der To-Do-Liste (s. o.) erledigen. Und zwar jeden Tag aufs Neue! Berücksichtigen Sie dabei unbedingt auch Aspekte wie Pausen- und Freizeit-Planung.

Am besten, Sie beginnen sofort mit der Erstellung eines Wochen-Plans für die kommende Woche. Zwar dauert das anfangs etwas länger, dafür sind dann aber die Tagespläne jeweils schneller erstellt!

Eine bewährte Umsetzungs-Hilfe für alle Bereiche Ihrer Planung ist die sogenannte **SALAMI-Taktik**, die Sie schon in Modul 1 kennengelernt haben.

Gehen Sie (in Anlehnung an Descartes, 1596-1650) folgendermaßen vor:

a) Formulieren Sie die Aufgabe schriftlich.

b) Zerlegen Sie die Aufgabe in kleine, überschaubare Teile.

c) Ordnen Sie die Teilaufgaben nach Prioritäten und Terminen.

d) Erledigen Sie alle Aktivitäten nach Prioritäten – und:

e) Kontrollieren Sie das Ergebnis.

Der letzte, aber entscheidende Schritt lautet:

Wenden Sie Ihre Pläne konsequent an!

Denn, um mit Erich Kästner zu sprechen:

Es gibt nichts Gutes, außer man tut es!

Modul-Rückblick durch die Brille Ihrer Lern-Persönlichkeit

Sie haben in diesem Modul bewährte Sofort-Maßnahmen zum optimalen Umgang mit der Zeit kennengelernt:

1. Setzen Sie sich Ziele!
2. Alle Aufgaben – konsequent – aufschreiben!
3. Prioritäten setzen – Wichtiges zuerst!
4. Tages- und Wochenpläne erstellen!

Diese Gedanken werden im Buch zum Baustein Z (Erfolg durch *EffEff*-Umgang mit der Zeit. Wagner / Wagner, 2011) der Bildungs- und Chancen-Stiftung „STUFEN zum Erfolg" so vertieft, dass die Umsetzung nicht mehr schwerfällt. Eine große Hilfe stellt dabei der Besuch des entsprechenden Seminars dar. Die wertvollen Tipps, die Sie dort erhalten, helfen Ihnen, mehr Zeit für das Wesentliche zu gewinnen!

Bevor Sie nun aber Ihre Arbeit mit diesem Buch abschließen, **ziehen Sie jetzt bitte jetzt noch ein letztes Mal Ihre „Lern-Persönlichkeits-Brille" auf!**

Betrachten Sie die Informationen des Moduls „Ziel-Erreichung durch Prioritäten – Umgang mit der Zeit" noch einmal im Hinblick auf Ihre Lern-Persönlichkeit.

Helfen kann Ihnen dabei, wie immer, ein erneuter Blick auf das Ergebnis Ihrer Selbstanalyse (Einleitung).

Darüber hinaus geben wir Ihnen im Folgenden einige für Ihre Ziel-Erreichung besonders wichtige Hinweise und Denkanstöße zu den einzelnen Persönlichkeitstypen. Denken Sie dabei immer daran:

Sie besitzen in der Regel Präferenzen aus mehr als einem Persönlichkeitstypus – ordnen Sie sich also bitte nicht ausschließlich nur einem der vier Lern-Persönlichkeitstypen zu.

Überlegen Sie, ob und inwieweit Ihre Lern-Persönlichkeit der Grund sein könnte für ein eventuell vorhandenes Unbehagen gegenüber Wochen- und Tagesplänen und deren konsequenter Anwendung. Ähnliches gilt für die dauerhafte (!) Verfolgung eigener Ziele: Vor allem, wenn Sie Präferenzen im Bereich der „Gelben Persönlichkeit" haben, ist die innere Ablehnung solcher Pläne und Ziele durchaus wahrscheinlich.

Verdeutlichen Sie sich in solchen Fällen, welche Vorteile die konsequente Umsetzung von Plänen und Zielen haben wird. Denken Sie daran:

Wer den Hafen kennt, in der er segeln will,

für den ist jeder Wind der richtige!

(in Anlehnung an Seneca)

Deshalb sollten Sie sich nun zum Abschluss Ihrer Arbeit mit diesem Buch Ihren neuen Kenntnisstand zum Thema *Lernen lernen* vor Augen führen. Vor allem aber sollten Sie schriftlich fixieren, welche Maßnahmen Sie ab sofort (terminiert!) umsetzen werden. Formulieren Sie auf den kommenden Seiten Ihren persönlichen Erfolgsplan.

8.5 Mein persönlicher Erfolgsplan
Wenn nicht jetzt, wann dann?

Machen Sie sich möglichst bald an diese wichtige Arbeit und setzen Sie die für Sie wichtigsten Erkenntnisse dieses Buches um.

▷ Identifizieren Sie zuerst Ihre wichtigsten Ziele (Prioritäten setzen!) und schreiben Sie sie auf!

▷ Machen Sie sich deutlich, warum etwas wichtig für Sie ist (Motivation)!

▷ Terminieren Sie Ihre Ziele (Planung)!

meine Ziele ganz konkret

Ü70: Notieren Sie die 5 für Sie besonders wichtigen...

▷ ... Erkenntnisse (WAS... ist wichtig?),

▷ dazu Ihre Motive (WARUM... nutzt es mir?),

▷ und Umsetzungstermine (WANN... setze ich es um?)!

212

1. ....

....

2. ....

....

3. ....

....

4. ....

....

5. ....

....

*meine Ziele
ganz konkret*

Welches Ihrer Ziele ist es wert, sofort umgesetzt zu werden?

Ü71: Überlegen Sie, was Ihr zentraler Engpass ist:

Was hinderte Sie bisher am meisten daran, effektiv und effizient zu lernen. Dort, wo Ihr Änderungsbedarf am größten ist, bietet sich die größte Erfolgs-Chance!

*mein
Sofort-Ziel*

Mein wichtigstes „Sofort-Ziel" ist:

....

....

Schreiben Sie dieses Ziel auf einen Merk-Zettel und lassen Sie diesen solange auf Ihrem Schreibtisch sichtbar liegen, bis die Umsetzung dieses Ziels Ihnen „in Fleisch und Blut" übergegangen, d. h. zur Gewohnheit geworden, ist. Dann wiederholen Sie dieses Vorgehen mit dem dann wichtigsten nächsten Ziel ...

Wo stehen Sie nun? Wie beurteilen Sie jetzt Ihren individuellen Stand an Wissen und Können zum Thema Lernen?

*mein
Standort*

Ü72: Markieren Sie, wie Sie Ihr Wissen und Können (Anwenden von Lernstrategien) zum jetzigen Zeitpunkt einschätzen:

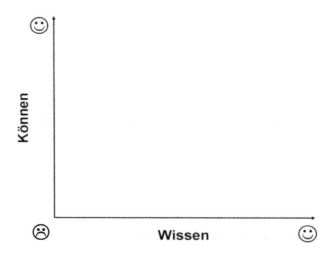

Vergleichen Sie zum Abschluss Ihren „Standort" mit Ihrer entsprechenden Einschätzung, die Sie in der Einleitung (S. 15) zu diesem Buch vorgenommen haben.

In der Regel haben Sie sich entscheidend verbessert.

Sie haben es geschafft!

Wir wünschen Ihnen ...

viel Erfolg!

Anhang

Assoziationstest nach Svantesson:

Anleitung:

Sie sehen auf der nächsten Seite eine Liste mit 30 Begriffen, die Ihnen mehr oder weniger bekannt sind. Zu jedem Begriff dürfen Sie bis zu drei Stichworte oder Assoziationen notieren (Spalten 1 bis 3). Hierfür haben Sie 10 Minuten Zeit.

Der gesuchte Begriff darf im Stichwort nicht vorhanden sein. Lautet der Begriff beispielsweise „Löwe", dürfen Sie „gelb", „Wüste" und „gefährlich" notieren; nicht erlaubt wäre aber zum Beispiel „Löwenzahn".

Klappen Sie im Anschluss an die Bearbeitung die Spalte 5 (mit den Begriffen) um, so dass Sie die Begriffe nicht mehr lesen können.

An späterer Stelle im Buch/Seminar können Sie in der 4. Spalte „Erinnert" die Begriffe eintragen, an die Sie sich noch erinnern!

hier knicken

Assoziation 1	Assoziation 2	Assoziation 3	Erinnert ...	Begriff
gelb	Wüste	gefährlich		Löwe

Abbildung 22: Assoziationstest

Assoziationstest

Assoziation 1	Assoziation 2	Assoziation3	Erinnert ...	Begriff
				Brücke
				Sattel
				Weihnachtseinkauf
				Alarmglocke
				Tasche
				Schmied
				Sitzpolster
				Schreibmaschine
				Maus
				Briefumschlag
				Schlüssel
				Tonband
				Kolumbus
				Fahrrad
				Aprikose
				Flasche
				Tomate
				Kuchen
				Fahrstuhl
				Silber
				Schwamm
				Briefmarke
				Affe
				Lineal
				See
				Schmutz
				Plagiator
				Phantasie
				Spargel
				Gelb

Stichwort- und Personenverzeichnis

Literatur-Verzeichnis

- BECK, HERBERT (2003): Neurodidaktik oder: Wie lernen wir. Veröffentlicht in „Erziehungswissenschaft und Beruf", Heft 3/2003

- BERGSTRÖM, BERIT (2008): Jedes Kind lernt anders – Stärken fördern – Schwächen verstehen. Düsseldorf: Patmos

- BERNSTEIN, DAVID (1993): Die Kunst der Präsentation. Wie Sie einen Vortrag ausarbeiten und überzeugend darbieten. Frankfurt: Campus Verlag

- BIRKENBIHL, VERA F. (2003): Autobahnen gegen Altersdemenz. Gehirn & Geist 2/2003

- BIRKENBIHL, VERA F. (2000): Das neue Stroh im Kopf? Vom Gehirn-Besitzer zum Gehirn-Benutzer. 37. Aufl. Landsberg am Lech: mvg 2000

- BIRKENBIHL, VERA F. (2004): Trotzdem lernen. Offenbach: Gabal

- BIRKENBIHL, VERA F (2004).: Trotzdem Lehren. Offenbach Gabal

- BLOD, G. (2010): Präsentationskompetenzen. Überzeugend präsentieren in Studium und Beruf. Stuttgart: Klett

- BODINGBAUER, LOTHAR: Tipps zur Formulierung eigener Forschungsfragen (verändert nach www.phyx.at/forschungsfragencheckliste, 11.7.2014)

- BUZAN, TONY (2005): Das Mind-Map-Buch. Die beste Methode zur Steigerung Ihres geistigen Potenzials: Heidelberg: Redline

- BUZAN, TONY / NORTH, VANDA (1999): Business Mind Mapping. Visuell organisieren, übersichtlich strukturieren, Arbeitstechniken optimieren. Wien: Ueberreuter Wirtschaftsverlag

- BUZAN, TONY (1993): Kopftraining: Anleitung zum kreativen Denken. München: Goldmann

- CSIKSZENTMIHALYI, MIHALY (2010): Flow. Das Geheimnis des Glücks. 15. Aufl. Stuttgart: Klett-Cotta

- COVEY, SEAN. (2007): Die 7 Wege zur Effektivität für Jugendliche. Ein Wegweiser für mehr Erfolg. Offenbach: Gabal

- D'AMELIO, ROBERTO: Studienbrief Entspannungsverfahren – Version 2009. Universitätsklinikum des Saarlandes, Homburg 2009

- DUDEN-PODCAST 107: Eselsbrücken. http://www.duden.de/podcast/eselsbruecken-1 (15.3.2012)

- EDELMANN, WALTER (2000): Lernpsychologie, Weinheim: Beltz

- FALLER, H.; LANG, H. (2006): Medizinische Psychologie und Soziologie. 2. Aufl. Heidelberg: Springer

- FRANCK, NORBERT / STARY, JOACHIM (2006): Die Technik wissenschaftlichen Arbeitens. Eine praktische Anleitung. 13., durchgesehene Aufl., Paderborn: Schöninghaus (UTB Arbeitshilfen, 724)

- GEISSELHART, ROLAND R. / KIEßLING, CORDULA (2006): Gute Noten mit legalen "Spickzetteln". So lernen Kinder schneller und besser. Ungekürzte Ausgabe. München: Dt. Taschenbuch-Verlag

- GEMBRIS, H. (2006): Musikhören und Entspannung. Universität Paderborn 2006

- GOETSCHEL, ROXANNE (O.J.): Entspannung. Grundlagen zum Thema Entspannung unter einer gesundheitsfördernden Perspektive. Gesundheitsförderung Schweiz

- HANNAFORD, CARLA (2006): Mit Auge und Ohr, mit Hand und Fuß. Gehirnorganisationsprofile erkennen und optimal nutzen. 3. Aufl. Kirchzarten bei Freiburg: VAK Verl. GmbH

- HOLZER, URSULA M.; EIGENSCHINK-HOLZER, URSULA J. (1994): Miteinander besser Lernen. Erfolgreicher durch Instrumentiertes Gruppenlernen (IGL) für Unterricht und Weiterbildungspraxis. 1. Aufl. Bremen: Gabal

- HÜTHER, GERALD (2006): Bedienungsanleitung für ein menschliches Gehirn. 6. Auflage, Göttingen: Vandenhoeck & Ruprecht (Sammlung Vandenhoeck)

- HÜTHER, GERALD (2007): Die Stärkung von Metakompetenzen als Voraussetzung für die Entfaltung besonderer Begabungen. Vortrag vor dem Karg-Forum. http://www.karg-stiftung.de/binaries/addon/29_03_vortrag_huether.pdf (31.07.2015)

- HÜTHER, GERALD (2009): Ohne Gefühl geht garn Nichts. Vortrag Freiburg „Schule träumen im Theater". Download: Huether.de 2012

222

- HÜTHER, GERALD (2011): Die Macht der inneren Bilder. Wie Visionen das Gehirn, den Menschen und die Welt verändern. 7. Auflage Göttingen: Vandenhoeck & Ruprecht

- HÜTHER, GERALD (2013): Was wir sind und was wir sein könnten. Ein neurobiologischer Mutmacher. Frankfurt: Fischer

- KÜTZ, S.: Wissenschaftlich formulieren. Tipps und Textbausteine für Studium und Schule. 2. überarbeitete Aufl., Paderborn: UTB 2012.

- LAMPRECHT, JÜRG: Biologische Forschung: Von der Planung bis zur Publikation. Fürth: Filander 1999

- LEITNER, SEBASTIAN (2007): So lernt man lernen. Der Weg zum Erfolg. Aufl. Freiburg im Breisgau: Herder

- LEONARD, GEORGE (2006): Der längere Atem. Die fünf Prinzipien für langfristigen Erfolg im Leben. München: Heyne

- MEISTER VITALE, BARBARA (2004): Lernen kann phantastisch sein: Offenbach: Gabal

- METZIG, W. / SCHUSTER, M. (2010): Lernen zu lernen: Lernstrategien wirkungsvoll einsetzen. Heidelberg: Springer 2010

- MICHEL, CHRISTIAN / NOVAK, FELIX (1990): Kleines psychologisches Wörterbuch. Zitiert bei wikipedia: http://de.wikipedia.org/wiki/ Vergessenskurve 15.3.2012

- MICHELMANN, R. und W.U. (2007): Die Text-Bild-Methode: Lesen-denken-lernen. Windeck: L.I.E.S.

- MOESSLANG, M. (2009): Presensation – Schluss mit Langeweile. Endlich wirkungsvoll präsentiere. Handreichung zum Seminar. Olching: Version 2011

- MOESSLANG, M . (2008): Besser präsentieren – mehr erreichen. München

- MOESSLANG, M. (2011): So würde Hitchcock präsentieren. Überzeugen mit dem Meister der Spannung. München: Redline

- MÜLLER, HORST (2006): Mind Mapping. Freiburg: Haufe

- RUSTLER, FLORIAN (2007): http//www.creaffective.de//2007/11/mind-map-mitschriften-bei-vortraegen-und-besprechungen/ (30.12.2015)

- SCHACHL, HANS (2005): Was haben wir im Kopf? Die Grundlagen für gehirngerechtes Lernen /// Die Grundlagen für gehirngerechtes Lehren und Lernen. 3., neu bearb. und erw. Aufl. Linz: Veritas-Verlags- und Handelsgesellschaft mbH. & Co.

- SCHRÄDER-NAEF, REGULA (2003): Rationeller Lernen. Ratschläge und Übungen für alle Wissbegierigen. Weinheim: Beltz

- SCHRÄDER-NAEF, REGULA / SCHRÄDER-NAEF, REGULA DORIS (2001): Lerntraining für Erwachsene. Es lernt der Mensch, so lang er lebt". 5., unveränderte Auflage, Weinheim: Beltz

- SCHULZ VON THUN, F. (2010): Miteinander reden: 1. Reinbek: rororo, 48. Auflage

- SPITZER, MANFRED (1996): Geist im Netz, Modelle für Lernen, Denken und Handeln. Heidelberg: Spektrum Akademischer Verlag

- SPITZER, MANFRED (2006): Lernen. Gehirnforschung und die Schule des Lebens. Elsevier: Spektrum Akademischer Verlag

- SPITZER, MANFRED (2002): Wie lernt das Gehirn? Die neuesten Erkenntnisse der Psychologie und Gehirnforschung. Bundesverband TuWas e.V. Fachtagung Umwelt bildet. http://www.lichter-sb.de/media/e085999f82f51a2effff807cfffffffef.pdf (30.4.2015)

- SPITZER, MANFRED (2002): Lernen. Gehirnforschung und die Schule des Lebens, Heidelberg, Berlin: Spektrum Akademischer Verlag (2002)

- STANGL-TALLER, W. (o.J.): http://www.stangl-taller.at/ (31.07.2015)

- STORCH, MAJA / KRAUSE, FRANK (2007): Selbstmanagement – ressourcenorientiert. 3. Nachdruck der 4. Auflage 2007. Bern: Verlag Hans Huber

- STORCH, MAJA / RIEDENER, ASTRID (2011): Ich packs! Selbstmanagement für Jugendliche. 2. Nachdruck der 2., überarbeitete Auflage 2006. Bern: Verlag Hans Huber

- SVANTESSON, INGEMAR (2001): Mind Mapping und Gedächtnistraining. Übersichtlich strukturieren, kreativ arbeiten, sich mehr merken. Offenbach: Gabal

- THOMAS, E.L. / ROBINSON, H.A. (1972): Improving Reading in Every Class: A Sourcebook for Teachers. http://blackscience.stanford.edu/c%26i/readings_files/Barton_et_al.pdf (30.7.2013)

- TRACY, BRIAN (1998): Thinking big. Von der Vision zum Erfolg. Offenbach: Gabal

- WAGNER, HARDY / KALINA, SABINE (2011): Erfolg durch Persönlichkeit - Grundlagen wertschätzender Kommunikation. Der EffEff STUFEN-Weg zur individuell-optimalen Selbst-Entwicklung. 2. Überarbeitete u. aktualisierte Aufl., Landau: Verlag Empirische Pädagogik

- WAGNER, HARDY / WAGNER, UTE (2011): Erfolg durch *EffEff* Umgang mit der Zeit. Landau: Verlag Empirische Pädagogik

- WAHL, DIETHELM (2005): Lernumgebungen erfolgreich gestalten. Vom trägen Wissen zum kompetenten Handeln. Bad Heilbrunn: Verlag Julius Klinkhardt

- WAHL, DIETHELM (7.6.2007): Ergebnisse der Lehr-Lern-Psychologie. Vortrag beim BLK-Modellversuch; Berlin 20.9.2006. Online verfügbar unter http://www.dblernen.de/docs/Wahl_Ergebnisse-der-Lehr-Lern-Psychologie.pdf, aktualisiert 2012

- ZIMBARDO, P.G. (1983): Psychologie. 4. neubearbeitete Auflage, Berlin, Heidelberg: Springer-Verlag

- ZIMBARDO, P.G., ET AL. (2008): Psychologie. 18., akt. Auflage. München, Boston: Pearson Studium

Danksagung

Das vorliegende Buch basiert auf dem langjährig erprobten Manuskript „Eff-Eff Lernen lernen lebenslang" der Stiftung STUFEN zum Erfolg.

Viele Anregungen und Ideen, die wir hier verwenden, wurden von einer Arbeitsgruppe erfahrener Trainer, Lehrer und Hochschullehrer zusammengestellt. Wir bedanken uns bei Sabine Kalina und Monika Kunz, die in dieser Arbeitsgruppe aktiv waren.

Unser besonderer Dank gilt Prof. Dr. Hardy Wagner für seine vielfältigen Anregungen und Ratschläge, sowie für die freundliche Durchsicht des Manuskriptes. Viele Gedanken, die Prof. Wagner schon vor Jahren, bei der Entwicklung eines „Lernen-lernen-Seminares" für seine Studenten entwickelte, sind heute noch so aktuell wie vor einigen Jahren.

Schließlich gilt unser Dank unseren Ehefrauen, Christina Beuth und Christine Hahl, ohne deren Unterstützung dieses Buch nicht fertig gestellt worden wäre.

Autoren

Matthias Beuth ...

ist Oberstudienrat an der Martin-Luther-Schule in Rimbach/Odenwald, der ersten STUFEN-Schule Deutschlands. Er unterrichtet dort die Fächer Biologie und Chemie, leitet den Science Club der Schule und koordiniert die dortigen Seminarangebote für Schülerinnen und Schüler im Bereich der Persönlichkeitsentwicklung.

Neben seiner hauptberuflichen Tätigkeit war Matthias Beuth viele Jahre als Geschäftsführer eines Beratungsunternehmens tätig. Die gesammelten Erfahrungen als Trainer für Persönlichkeitsmodelle wie DISG und HBDI, seine Trainerqualifikation für „Effektive Arbeitstechniken" sowie seine Erfahrungen als Lehrbeauftragter an der Hochschule Worms, fließen in seinen täglichen Unterricht an der Martin-Luther-Schule ein.

Als dreifacher Mastertrainer der *Bildungsstiftung STUFEN zum Erfolg* engagiert sich Beuth seit der Gründung 2002 ehrenamtlich für deren Anliegen.

Volker Hahl ...

ist Oberstudienrat und war 15 Jahre an der Martin-Luther-Schule als Geschichts-, Sport- und Medienlehrer tätig, bevor er 2014 an das Lessing Gymnasium nach Lampertheim wechselte. Dort baut er seitdem ein STUFEN-Angebot auf.

Seine Kenntnisse im Bereich Lehren und Lernen erweiterte Volker Hahl außerhalb der Schule als Seminarleiter, unter anderem als Geschäftspartner von M. Beuth.

Auch die mehr als 17 Jahre Erfahrung als Trainer bzw. sportlicher Leiter in der Fitnessbranche sowie ein mehrmonatiger Auslandseinsatz als Lehrer in diversen Townships von Kapstadt (Südafrika) veranlassen ihn immer wieder, Dinge mit anderen Augen zu sehen, über den Tellerrand zu blicken und andere Wege zu gehen.

Seit seinem Erstkontakt mit den Inhalten der *Bildungsstiftung STUFEN zum Erfolg* engagiert sich Volker Hahl zunehmend für deren Ziele.

Nachwort des Herausgebers

Der STUFEN-Erfolgs-Baustein L hat seine Wurzeln in einem – als Auftrag der ehemaligen *Bund-Länder-Kommission für Bildungsplanung und Forschungsförderung* (BLK) – an der heutigen Hochschule Ludwigshafen betreuten BLK-Modellversuch. Dessen Ergebnisse zeigten, dass – vor allem mittelständische – Unternehmen erwarten, dass Hochschul-Absolventen über zusätzliche Kompetenzen, sog. Soft Skills, verfügen. Dies war der Anlass, ein Konzept zu entwickeln, auf dem die heutigen STUFEN-Bausteine basieren. Ursprünglich waren die Themen „Lernen lernen" und „Umgang mit der Zeit" in einem gemeinsamen Baustein „Arbeits-Methodik" verbunden. Später wurden – angesichts der essenziellen Bedeutung beider Inhalte – die Themen Lernen (L) und Zeit (Z) in separate operative Bausteine eingebracht, auch wenn nach wie vor „zu wenig Zeit" als eines der wichtigsten Lern-Hindernisse empfunden wird. In Verbindung mit den strategischen Bausteinen „Persönlichkeit und Selbst-Erkenntnis / Wertschätzende Kommunikation" (P) sowie „Grundlagen von Erfolgs-Verursachung / Berufs-Ziel-Entwicklung / Karriere-Strategie" (E) hat dies zum heutigen STUFEN-Erfolgs-Konzept „P-E-L-Z" geführt, ergänzt durch den wichtigen Erfolgs-Baustein M: Erfolg durch mentale Fitness.

Nach Publikation der ersten beiden STUFEN-Bände – Erfolgs-Bausteine P und Z – ist nun die Zeit gekommen, auch für den Erfolgs-Baustein L eine Unterlage zu schaffen, die sowohl für Interessenten über den Buchhandel als auch als Teilnehmer-Unterlage für Seminare zur Verfügung steht.

Mit Gründung der STUFEN-Stiftung wurden kompetente und engagierte Experten zu den jeweiligen Erfolgs-Bausteinen als Master-Trainer berufen. So bildete sich ein Arbeits-Team aus Master-Trainern für den Erfolgs-Baustein L, bestehend aus *Dipl.-Päd. Sabine Kalina, Monika Kunz, OStR Matthias Beuth* und *Prof. Dr. Hardy Wagner*. In rund zweijähriger intensiver Kooperation wurden die vorhandenen Unterlagen zum Thema Lernen bearbeitet und sowohl für Studenten als auch für Schüler modifiziert und ergänzt.

228

Zeitgleich mit der konzipierten Teilnehmer-Unterlage wurde eine ansprechende Folien-Präsentation entwickelt. Diese bewährten Unterlagen, später ergänzt durch einen Trainer-Leit-Faden, werden seitdem erfolgreich in unterschiedlichen Veranstaltungen – in offenen Akademie-Seminaren, Schulen und Unternehmen – eingesetzt. Sie stehen allen lizenzierten STUFEN-Pädagogen und STUFEN-Trainern für Baustein L-Veranstaltungen zur Verfügung.

Der Kontakt mit einem engagierten Gymnasial-Lehrer, *Matthias Beuth*, bot bereits vor Jahren die Chance zu einer EffEff – effektiven und effizienten – Kooperation: Gemeinsam haben wir die an der Hochschule Ludwigshafen zunächst für Studenten konzipierte Teilnehmer-Unterlage *„Erfolg durch Lernen lernen – individuell-optimal und lebenslang"* mit dem an der Martin-Luther-Schule (MLS) in Rimbach von Matthias Beuth für Schüler entwickelten Konzept *„Lernen lernen"* kombiniert.

Matthias Beuth betreut seitdem nicht nur STUFEN-Bausteine an der MLS in Rimbach, der ersten STUFEN-Schule Deutschlands, sondern engagiert sich darüber hinaus im Rahmen der STUFEN-Stiftung als Vorstands-Beauftragter für Schulen für die Qualifizierung weiterer Kollegen zu STUFEN-Pädagogen.

In seinem Kollegen *Volker Hahl* hat *Matthias Beuth* einen kompetenten Partner als Mit-Autor gefunden, um das bewährte Baustein L-Konzept aktuell zu überarbeiten und zur Druckreife zu bringen.

Wichtige Anregungen und zahlreiche „gehirn-gerechte" Methoden verdanken wir dabei *Vera F. Birkenbihl,* mit deren GABAL-Band *Stroh im Kopf* der vom Herausgeber gegründete GABAL-Verlag seinen Erfolgsweg begann. Insoweit sind wir Herrn *Dr. Dieter Böhm* (Brainconsult), den Vera F. Birkenbihl zu ihrem geistigen Erben „berufen" hat, dankbar für seine spontane Bereitschaft, einige aktuelle Ergänzungen aus dem Birkenbihl-Erbe als wertvolle Bereicherung zur Verfügung zu stellen.

Wie im Geleitwort dargelegt, liegen dem STUFEN-Konzept zum Thema Lernen die Verhaltens-Typen von *William Moulton Marston* zugrunde; ein pragmatisches und *EffEff* einsetzbares Konzept – zugleich die Brücke zum Erfolgs-Baustein P.

Einen ähnlichen Weg ist *R. Wittmann* gegangen, die für die persolog GmbH, Remchingen professionelle Seminar-Unterlagen erstellt und 1995 / 2010 einen umfassenden und fundierten Trainer-Leitfaden „Lernen und Lehren" auf Grundlage der gleichfalls auf Marston basierenden DISG-Typen vorgelegt hat.

Damit ist die für das Lernen essenzielle Thematik der bevorzugten *Empfangs-Kanäle* der Lerner angesprochen, die in den bevorzugten *Sende-Kanälen* der Lehrenden ihre Entsprechung finden. *C. Dostal* hat in einer empirisch fundierten Dissertation (Qualitätsverbesserung des Schulunterrichts durch „lerntypenorientierte Suggestopädie", Schriftenreihe zur Integralen Pädagogik, Band 2, Verlag ibidem, Stuttgart 2011) aufgezeigt, dass ein überraschend hoher Anteil der Lehrenden mit den von ihnen präferierten Sende-Kanälen nicht die bevorzugten Empfangs-Kanäle der Schüler erreicht. Diese essenzielle Thematik, die etwa in der Notengebung dramatische Konsequenzen für Schüler zur Folge haben kann, wurde von den Lehrer-Weiterbildnern *Roswitha Riebisch* und *Hubert Luczinski* (*Typen-Diagnose* – ein Schlüssel zur individuellen Förderung, Paderborn 2010) weitergeführt und vertieft; als Lösung wurde eine aufwändige und wenig praktikable Mehrfach-Fremd-Analyse vorgeschlagen. Im STUFEN-Konzept bieten wir stattdessen eine *EffEff* Umsetzung durch pragmatische Selbst-Analysen innerhalb von 15 Minuten.

Damit zieht sich mit der Nutzung der in STUFEN-Band 1 grundgelegten Erkenntnisse ein roter Faden durch alle Erfolgs-Bausteine – eine spezifische Besonderheit des STUFEN-Konzepts.

In diesem Sinne möchten wir mit der Veröffentlichung zu einem erfolgreichen Leben der Leser und unserer Seminar-Teilnehmer beitragen.

Prof. Dr. Hardy Wagner

Herausgeber / Kuratoriums-Vorsitzender

Platz für Ihre Notizen:

StrategieForum e.V.
BUNDESVERBAND

*„Eine Wirtschaft und Gesellschaft, in der sich die Menschen und Betriebe nicht mehr an der Steigerung ihres Gewinns, sondern an der **Steigerung ihres Nutzens für ihre Mitwelt orientieren** – weil sie wissen, dass sie auf diese Weise selbst am erfolgreichsten werden – wird sich sukzessiv zu einer völlig anderen Wirtschaft und Gesellschaft entwickeln als die unsrige ist."* Prof. h.c. Wolfgang Mewes

Das oben aufgeführte Zitat vom Urheber der **Engpass-Konzentrierten Verhaltens- und Führungsstrategie (EKS)** stellt die Grundhaltung des Bundesverbandes StrategieForum dar. Wir fördern Menschen, die erkannt haben, dass es sinnvoll ist, strategisch zu denken und zu handeln und dabei – auf Basis der eigenen Fähigkeiten und Stärken – den Nutzen für die eigene Zielgruppe in den Vordergrund zu stellen.

In der Konzentration auf den Zielgruppen-Nutzen auf Grundlage von individueller Differenz-Eignung zeigen sich die Gemeinsamkeiten von StrategieForum und STUFEN-Stiftung.

Wie bei allem, ist der Weg zur erfolgreichen Umsetzung der Ziele von permanentem Üben, d.h. Lernen gekennzeichnet.

Wir lernen nie aus, wir lernen immer dazu.

Wenn Sie mehr darüber wissen wollen, wie Sie Ihren Arbeitsalltag und Ihr unternehmerisches Ergebnis nachhaltig erfolgreicher gestalten können, informieren Sie sich bitte unter: **www.strategie.net**

GABAL

Gesellschaft zur Förderung Angewandter Betriebswirtschaft und Aktivierender Lehr- und Lernmethoden in Hochschule und Praxis e.V.

Mit dem Ziel, das Wissen der Hochschulen mit der Wirtschafts-Praxis zu einer erfolgversprechenden Synergie zu verbinden, gründeten 1976 Praktiker aus Wirtschaft und Hochschule unter Federführung von Prof. Dr. Hardy Wagner, Speyer, unserem heutigen Ehrenvorsitzenden, den gemeinnützigen GABAL e.V..

Heute versteht sich GABAL e.V. als Institution zur Förderung ganzheitlichen Lernens und gemeinsamer Weiterbildung.

GABAL-Mitglieder eint das Interesse und die Arbeit an persönlichem Wachstum und zugleich an der Zukunftsfähigkeit ihrer Organisationen.

Lernen ist hierfür die entscheidende Grundlage:

Lehren ist Leben und Leben ist Lernen.

Ein besonderes Beispiel ist das von Prof. Wagner in jahrzehntelangem Austausch von Hochschule und Praxis entwickelte

Bildungs- und Chancen-Konzept „STUFEN zum Erfolg".

Das STUFEN-Konzept ist das Ergebnis eines GABAL-initiierten BLK-Modellversuchs, erstmals präsentiert im Rahmen eines GABAL-Symposiums an der Hochschule Ludwigshafen und dokumentiert im Rahmen der GABAL-Schriftenreihe.

Deshalb fördern wir das STUFEN-Konzept und seine Nutzung durch GABAL-Mitglieder. Wir unterstützen junge Menschen beim Start ins Berufsleben und darüber hinaus.

Als Methoden-übergreifender Verband öffnen wir den Blick auf immer wieder Neues, stoßen Entwicklungen an und greifen Trends auf.

Der Netzwerkgedanke verbindet unsere Mitglieder, sei es bei den Impulstagen als bundesweitem Zentral-Event, sei es in regelmäßigen Abend-Veranstaltungen in den GABAL-Regionalgruppen vor Ort.

GABAL *Wissen vernetzen*

Budenheimer Weg 67 – D-55262 Heidesheim

Tel.: +49 61 32 509 50 - 90, Fax: - 99 – info@gabal.de - www.gabal.de

Die Bildungs- und Chancen-Stiftung
STUFEN zum ERFOLG

verfolgt im Sinne ihrer Satzung das Ziel einer Förderung und Vertiefung eines breiten Angebots „*Grundlegender*" Schlüssel-Kompetenzen:

Grundlegend sind solche Kompetenzen, deren jeder Mensch zwingend bedarf, sowohl beruflich als auch privat, und zwar unabhängig von Beruf, Alter, Geschlecht, Bildungs- bzw. Migrations-Hintergrund etc.

Ziel ist, Menschen, vor allem junge Menschen, zu motivieren und zu befähigen, die in ihnen liegenden Potenziale zu erkennen, zu akzeptieren, weiter zu entwickeln und zu nutzen, und zwar zum eigenen Erfolg sowie auch zum Nutzen von Wirtschaft und Gesellschaft.

Erfolg, den wir stufenweise über Erfolgs-Bausteine möglich machen, bedeutet, die eigenen Ziele authentisch zu erreichen:

ERFOLG ist die ZUFRIEDENHEIT
aufgrund von GRAD und ART der ZIEL-Erreichung

Über Möglichkeiten hierzu unterrichten rund 30 Experten in unserer Jubiläums-Publikation: *Erfolg ist machbar!*

Anzufordern unter: info@stufenzumerfolg.de

Diese Dokumentation ergänzt die STUFEN-Schriftenreihe, in der die Inhalte unserer Erfolgs-Bausteine als Bücher und zugleich als Teilnehmer-Unterlage zur Verfügung stehen.

Wir sind Mitglied im

Bundesverband
Deutscher Stiftungen

www.stufenzumerfolg.de

STUFEN ZUM **ERFOLG**
STIFTUNG

Wir unterstützen junge Menschen im Hinblick auf den ihnen möglichen
schulischen, beruflichen und persönlichen Erfolg

Unsere bewährten STUFEN-Seminare, ausgezeichnet und zertifiziert mit
dem Qualitäts-Siegel des Dachverbandes der Weiterbildungs-
Organisationen (DVWO), sind in 4 STUFEN-Bausteine gegliedert:

P Erfolg durch Persönlichkeit / Kommunikation
E Erfolgs-Methoden – Karriere-Strategie
L Erfolg durch Lernen lernen – individuell-optimal
Z Erfolg durch EffEff Umgang mit der Zeit

Eine starke Ergänzung dieser 4 STUFEN-Bausteine P E L Z bietet unser
zusätzliches Seminar **Baustein M: Erfolg durch mentale Fitness**.

Ein besonderes PLUS der STUFEN-Baustein-Seminare:

Einerseits ist jeder Erfolgs-Baustein in sich abgeschlossen und
unabhängig von anderen STUFEN-Bausteinen nutz- und anwendbar;
andererseits basieren alle auf unserem Persönlichkeits-Profil-Konzept.

Unsere *STUFEN-Partner* sind besonders engagierte Bildungs-Einrichtungen,
Unternehmen bzw. Kammern sowie von unserer Stiftung qualifizierte
und lizenzierte STUFEN-Trainer und -Pädagogen.

Schülern und Studenten werden die Erfolgs-Bausteine vorwiegend in
Schulen und Hochschulen angeboten, *Auszubildenden* in ihren Unternehmen
durch betriebliche Ausbilder, die als STUFEN-Trainer im Rahmen des zertifi-
zierten STUFEN-Lizenzierungs-Prozedere qualifiziert werden.

Als *Teilnehmer-Unterlagen* in den Seminaren zu STUFEN-Erfolgs-Bausteinen
werden derzeit nachstehende Bände der STUFEN-Schriftenreihe eingesetzt:

P: Bd. 1 Wagner / Kalina: *Erfolg durch Persönlichkeit / Grundlagen wertschätzender Kommunikation, 2. Auflage, Landau 2011*

Z: Bd. 2 Wagner / Wagner: *Erfolg durch EffEff Umgang mit der Zeit /
Selbst- und Prioritäten-Management, Landau 2011*

L: Bd. 3 Beuth / Hahl: *Erfolg durch Lernen lernen – individuell-optimal,
Norderstedt 2016*

Weitere Informationen: www.stufenzumerfolg.de